Jutta Hecker

Die Altenburg

Geschichte
eines Hauses

Verlag der Nation
Berlin

ISBN 3-373-00216-8

4. Auflage 1991
© Verlag der Nation Berlin GmbH 1983
Gesamtgestaltung: Manfred Damaszynski
Lichtsatz: Interdruck, Leipzig
Druck und Buchbinderische Verarbeitung:
Offizin Andersen Nexö Leipzig GmbH

Und alles ist Frucht,
Und alles ist Samen!

Es ist der 26. September 1827, ein klarer Herbsttag. Da steht Goethe auf der Höhe des Ettersbergs im Norden Weimars und schaut sinnend über das Tal, die Stadt und die jenseitigen Bergzüge. «Der alte Meeresboden …», sagt er nachdenklich zu Eckermann, der ihm gerade einige versteinerte Muscheln zugereicht hat. «Wenn man von dieser Höhe auf Weimar hinblickt, so kommt es einem vor wie ein Wunder, wenn man sich sagt, daß es eine Zeit gegeben, wo in dem weiten Tale dort unten die Walfische ihr Spiel getrieben. Und doch ist es so, wenigstens höchstwahrscheinlich. Die Möwe aber, die damals über dem Meere flog, hat sicher nicht daran gedacht, daß wir heute hier stehen würden. Und wer weiß, ob nach vielen Jahrtausenden die Möwe nicht abermals über diesen Berg fliegt.»

Wirklich, die Forschung hat erwiesen, ein Meer hat einst das Becken gefüllt, in dem sich nun mit drei Türmen und engen Gassen die Stadt Weimar zusammenduckt. Wie Meeresufer erheben sich noch immer rings flache Hügel um das Tal: der Ettersberg im Norden, die bewaldeten Hügel nach Berka im Süden und ein langgestreckter Bergrücken, an dessen Grunde die Ilm entlangfließt, nach Osten, nach Jena zu. Das Horn, so heißt diese dünengleiche Erhebung in ihrem südlichen Teil, und Goethes alte Augen mögen sie damals besonders eifrig gesucht haben, denn irgendwo da unten steht sein geliebtes Gartenhaus. Vor wenigen Wochen erst hat er dort noch einmal Einkehr gehalten. Tagelang blieb er, wie er einem Freunde berichtete, «ohne es eigentlich gewollt zu haben», um am «Faust» zu arbeiten.

Das Haus kann er von hier oben nicht sehen, es liegt im Tal an der Ilmwiese; aber der Höhenzug darüber zeichnet sich vor dem Waldrücken des Webichts deutlich ab; er endet hinter dem

Rothäuserberg nach Nordosten zu in einer von der Ilm umschlossenen Kuppe, der Altenburg.

Das Gebäude, das sein langjähriger Amtskollege, der Stallmeister von Seebach, vor einigen Jahren auf diesem kahlen Hügel über der Stadt errichtet hat, ein gelber, rechteckiger Block unter flachem blauem Schieferdach, ist deutlich sichtbar. Unmittelbar darunter drängt sich auf dem anderen Ufer des Flusses mit Brücke, Schloß und zwei Kirchen Weimar zusammen. Das alles sieht von hier oben wie Spielzeug aus.

«Alte Burg» steht auf allen alten Karten verzeichnet — ein Flurname also, ein fester Begriff für einen kahlen, terrassenförmigen Anstieg jenseits der Stadt. Auf der untersten Terrasse stehen die «Lärmstücke», die Kanonen, die Wache halten über das weimarische Land; und wenn sich irgendwo der Himmel rötet von aufsteigenden Flammen, dann donnern sie ihr Signal «Feuer» über das Land. — «Alte Burg»? — Vielleicht hat sich hier im sechsten Jahrhundert die Königsburg von Hermanfried und Amalberga erhoben? Oder hat ein Kastell von dieser Bergkuppe aus die «neue Burg» des mittelalterlichen Weimar beschützt? Oder bedeutete es ursprünglich «Burg des Alten», also Wotansburg, und war eine Kultstätte? Niemand weiß so recht eine Antwort.

Im sechzehnten und siebzehnten Jahrhundert hat der Hang des Berges, der der Stadt zugekehrt ist, Weinstöcke getragen. Aber die Besitzer wechselten schnell, denn der Boden war mager und steinig, nur der untergehenden Sonne zugekehrt und den kalten Ilmnebeln preisgegeben. Zuletzt haben es die Weinbauern aufgegeben, die Altenburg fruchtbar zu machen, und seitdem ist sie wieder steiniges Grasland, über das man seinen Weg nehmen muß, wenn man nach Jena oder nach dem idyllischen Schlößchen Tiefurt will. Wie oft ist Goethe diesen Weg gegangen, geritten, gefahren! In morgendlicher Stunde bei Nebel und Tau; des Abends, wenn man von hier aus in das ewig wechselnde Schauspiel der Sonnenuntergänge sehen kann; des Nachts mit von Gesprächen oder Wein belebtem Kopf, wenn er von Tiefurt kam.

Auch in der Nacht vom 30. auf den 31. August 1781 hat er dort oben gestanden. Sein Tagebuch verzeichnet es. «Conseil. Mit ☉ gegessen. Schöne Nacht. Auf der Altenburg.» — Mit ☉, dem astronomischen Symbol für Sonne, bezeichnet er Charlotte von Stein.

Vom Hause der geliebten Frau aus, bei der er zu Abend gegessen hat, steigt er ins Ilmtal hinunter, überquert die von dunklen Bäumen umrandete Wiese vor seinem Gartenhaus und geht dann, von der warmen Sommernacht verlockt, weiter am Fuß des Horns entlang nach Norden zu, am Floßgraben vorbei, durch das Schalloch hindurch. Links von ihm rauscht das Wehr der Burgmühle. Er überschreitet die schmale, steile Jenaer Chaussee und ersteigt die Altenburg.

Da steht er unmittelbar über der Stadt, die sein Schicksal zu sein scheint. Die Silhouette der drei Türme über den niedrigen Häusern zeichnet sich klar am nachtblauen Himmel ab: der bei dem großen Brand im Jahr vor seiner Ankunft unversehrt gebliebene zierliche Schloßturm, der schöne gotische Turm der Stadtkirche und, ein wenig nach Norden zu, der Helm der Kirche in der Jakobsvorstadt.

Die Mondsichel steht zwischen den beiden Kirchtürmen. Rötlich strahlt daneben der Mars, und das Gestirn des Großen Wagens fährt bereits über der dunklen Höhe des Ettersbergs dahin. Das Ilmwehr rauscht in der Stille herauf. Der hohe Raum der Nacht steht über dem weiten Tal mit dem kleinen Häusernest darin. Und über ihm.

Goethe ist soeben zweiunddreißig Jahre alt geworden. Er hat es sich angewöhnt, um die Zeit seines Geburtstags ein Fazit des vergangenen Jahres zu ziehen. Er tut es in dieser Nacht, an diesem Ort. In Weimar hat er sich beladen mit vielerlei Verwaltungsgeschäften: Wegebau, Soldatenwesen, Bergbau. Er strebt nach praktischer Tätigkeit; und fast ist ihm das kleine Land schon zu begrenzt dazu. Neuerdings beschäftigt sich sein ruhelos nach Erkenntnis suchender Geist mit den geheimen Formkräften der

*Natur. Er sucht sie im Gestein, im Knochenbau, in Pflanzen-
formen, in Wolken und Farben. Da fühlt er sich auf neuem,
fruchtbarem Weg. Sein Herz aber wird immer wieder beun-
ruhigt und zugleich bereichert durch die Zwiespältigkeit seiner
Beziehung zu Frau von Stein. Gerade schreibt er am zweiten Akt
seines «Tasso». Vor fünf Tagen hat er ihn in Tiefurt der Herzogin
Luise und der Freundin vorgelesen. Hatten sie gespürt, wie sehr
der «Tasso» ein Stück seiner vergangenen sechs Weimarer Jahre
spiegelt? Den Kampf des Künstlers mit den unumstößlichen
Anforderungen dieser Welt und dazu das Schicksal einer Liebe,
die keine Erfüllung finden kann?*

*Doch heute, heute war ein ruhiger, erfüllter Tag gewesen. In
seinem Tagebuch wird es morgen früh verzeichnet sein: «Conseil.
Mit ⊙ gegessen. Schöne Nacht. Auf der Altenburg.»*

Zwei Jahre später, am 15. August 1783, ersucht der sachsen-
weimarische Kammerjunker Franz Ludwig von Hendrich
seinen Herzog, ihm die Altenburg zur Anpflanzung eines
Obstgartens zu überlassen, und eine Woche später legt Karl
August im Conseil seinen Ministern die fragliche Angelegenheit vor. Das Protokoll hat es bewahrt.

«Messieurs, ihr wollt in Überlegung ziehen», so hat er die
Herren angesprochen, «wie weit der in Frage seyende Platz
ihm, dem Hendrich, ohne daß eine Inconvenierung daraus
erwachse, einzuräumen sey.»

Der Geheime Rat Schnauss, der schon lange im Weimarer
Verwaltungsdienst tätig ist, spricht als erster: «Herr von
Hendrich wird nicht viel Erfolg mit seinem Plan haben»,
meint er. «Seit dreihundert Jahren versucht man immer
wieder, den Berg fruchtbar zu machen. Das Terrain ist
schlecht.» Und nach kurzer Pause erlaubt er sich zu erinnern:
«Wollten Serenissimus nicht den Höhenzug aufforsten und
einbeziehen in Dero Parkgestaltung?»

Karl August nickt vor sich hin und wendet sich nun

fragend dem Minister von Fritsch zu. Herr von Fritsch beugt sich vor. Er legt die gepflegten Fingerkuppen gegeneinander, so daß die Spitzen der Hemdärmel über den Samt seines apfelgrünen Fracks fallen, und sagt: «Auf jeden Fall müßten die Lärmstücke dort oben unangetastet bleiben — und auch die eventuelle Verlegung der zu steilen Chaussee nach Jena dürfte keinesfalls behindert werden. Sonst wäre nichts dagegen einzuwenden.»

Nun wendet sich der Herzog wortlos fragend Goethe zu. Goethe gedenkt der Nacht vor zwei Jahren. Es wäre schön, wenn dieser Berg Frucht trüge! «Bäume pflanzen», meint er, «das ist auf jeden Fall gut!»

«Nun denn, Messieurs», schließt Karl August die Verhandlung über «den in Frage seyenden Platz», «er soll ihn haben.» Er beugt sich zu Fritsch hinüber: «Man wird Bedingungen stellen betreffs der Lärmstücke und der Chaussee. Er soll ihn haben, und weil es so schlechtes Terrain ist, ohnentgeltlich.» Soll der Hendrich doch mal sehen, ob dort wirklich nichts wächst, denkt er.

Die Obstbäume des Herrn von Hendrich aber wollen nicht recht wachsen, und als er im Jahre 1802 Stadtkommandant von Jena wird, räumt er, ohne sich zu grämen, die Altenburg.

Da greift Karl August seinen alten Plan wieder auf, den ganzen Höhenzug östlich der Ilm, das Horn und die Altenburg bis zum Webicht hin zu bepflanzen, damit sich von Belvedere, dem Schlößchen im Süden, über den Ilmpark bis nach Tiefurt hin ein großzügiges Waldgelände erstrecke. Eine Residenz, die einem frei wachsenden großen Park gleicht, das wäre nach seinem Sinn. So werden Arbeiter bestellt; sie heben im April und Mai 1802 auf den drei übereinanderliegenden Terrassen der Altenburg Baumlöcher aus, und siebenunddreißig Gespanne, mit zwei oder vier Eseln davor, knarren tagtäglich vom Ettersberg herüber. Zweihundertdreizehn Schock kleine Fichten werden gepflanzt, und Befehle, Scherzworte, Flüche und das Schnauben der angetriebenen Tiere hallen unaufhörlich über das sonst so stille Hügelgelände.

Im Juni ist wieder Ruhe dort oben. Die Sonne bescheint nun eine veränderte Landschaft neben und über den Lärmstücken: Hunderte von jungen Bäumen, kaum zwanzig Zoll hoch, versuchen in dem steinigen Boden heimisch zu werden. Allmählich erst graben sich nach dem Gelärme die wilden Kaninchen wieder ihre Höhlen dort, und langsam nur gewöhnen sich die Hasen, Dachse und Rehe aus dem nahen Schießhauswäldchen und dem Webicht wieder daran, nachts auf die Höhe über der Stadt herauszutreten.

Es ist das Jahr 1803. Charlotte von Steins Mann ist gestorben, und der Major von Seebach ist nun Stallmeister Karl Augusts geworden. Von Tiefurt kommend, trabt er durch das maigrüne Webicht. Die rhythmische Bewegung des Pferdes tut ihm wohl, und er klopft dem schönen Goldfuchs, den er sich mitgebracht hat, als er für Karl Augusts Gestüt die vierzig englischen Vollblutpferde aus Hull holte, den schlanken Hals. Das Tier bäumt den Kopf und schnaubt dankbar. Das Lederzeug knarrt; der Hufschlag tönt dumpf auf dem Waldboden. Die Erde duftet. Junge Zweige streifen das Gesicht des Reiters. Ein grünes Räupchen krümmt sich auf dem Ärmel seiner leuchtendblauen Husarenuniform. Seebach schaut ihm einen Augenblick lang zu, ehe er es mit der Reitpeitsche abstreift.

Es ist Frühling, noch nicht zu heiß. Er kann Hitze nicht mehr vertragen seit der schweren Verwundung bei Wetzlar vor sieben Jahren. Damals war er noch ein junger Hauptmann. Nun ist er zwar erst fünfunddreißig, hat sich aber nie mehr ganz erholt. «Die Faiblessen, die verdammten Faiblessen!» Der Körper gehorcht einfach nicht mehr.

Der hagere, hochgewachsene Offizier dehnt sich seufzend. Da gibt's manchen Ärger mit dem robusten Herzog. Der ist nicht totzukriegen! Er aber kann und will sich auch nicht so sklavisch in die Dinge hineinknien. Abenteuer und Angriff bei plötzlicher kurzer Anspannung aller Kräfte, das kann er noch leisten; das will er noch leisten — aber dieser tägliche mühselige Trott und dieser sinnlose Repräsentationsdienst bei Hofe! Er streicht sich mit dem Handrücken über den Mund. Doch gestern hat er ein Dekret bekommen, das ihm das Direktorium über die Feuerlöschanstalten überträgt. Das ist nach seinem Sinn: da hat doch alles, was man tut, praktischen Wert, und Konvention und Etikette sind überflüssig. Eigentlich hat man ein Stück von einem Rebellen in sich.

Der Weg macht eine leichte Biegung nach Westen und führt nun wie durch ein lichtes rosiges Tor aus dem Wald heraus auf ein Brachland, das man nach altem Brauch Großmutter nennt, der niedersinkenden Sonne entgegen. Man kann doch gleich die Lärmstücke auf der Altenburg inspizieren! Major von Seebach reitet langsam über die ebene Großmutter und weiter die Altenburg abwärts: erst die höchste Terrasse hinunter, dann wenige hundert Meter ebenes Gelände, nun den zweiten steilen Abhang hinab. Nach Süden zu, auf dem untersten Plateau, stehen die vier Kanonen. Das Gelände ist von einem Holzzaun geschützt; unten in der neuerbauten Kegeltorwache befindet sich der Schlüssel.

Aber der Major braucht ihn heute nicht. Er ist von seinem Fuchs abgestiegen und steht mitten zwischen den kleinen Fichten. Einige sind nicht angewachsen; sie stehen braun und sperrig zwischen Grasbüscheln, aber manche tragen erste grüne Spitzen. Sein Pferd grast. Man hört das Abreißen des Krauts und das dumpfe Mahlen der Zähne. Herr von Seebach legt die Hand auf den glatten warmen Hals des grasenden Pferds und schaut sich um: Was für ein herrlicher Platz! Hier müßte man bauen! Nach Osten zu durch die höhere Terrasse vor Blicken und Wetter geschützt, unten abgegrenzt durch den Fluß und freie Sicht nach drei Seiten über das breite Tal hinweg. Jenseits der Ilmbrücke erhebt sich der mächtige Block des eben fertiggestellten Schlosses. Ein repräsentatives Schloß mußte endlich wieder errichtet werden; schon darum, weil eine reiche russische Prinzessin als Thronfolgerin in Weimar eintreffen wird. Nun steht es da, das Schloß, massiv und unverrückbar — ein Sinnbild der Leiden und Freuden seines Lebens. Loyale Diener ihrer Herren sind die Seebachs seit Generationen gewesen. Auch er hängt ehrlichen Herzens dem Herzog an. Dreizehn Jahre in persönlichem Dienst, der Kriegszug 1782, die Belagerung von Mainz, die Schlacht bei Wetzlar, gemeinsame Jagden und Reisen — das verbindet. Aber man sollte doch freier sein, ungebundener! Hier auf dem andern Ufer zu wohnen — das wäre gut! In gleicher Höhe mit dem Schloß, sogar ein wenig darüber! Er lacht kurz auf. Nicht zu weit von ihm entfernt, aber doch in gebührlichem Abstand. Der Herr von Seebach ist für Distanz. Wenn man nicht so robust ist, kann man nicht immer mittendrin stehen. Zudem hat man seinen eigenen Sinn!

Die schmalen, knochigen Hände des Stallmeisters umfassen die Hetzpeitsche und wickeln spielend die lange Schnur um den kurzen gedrehten Lederstiel auf und ab. Die Sonne ist als runder feuriger Ball vor ihm am Horizont untergegangen, gerade zwischen den beiden Kirchtürmen. Die Silhouette der Stadt mit den drei Türmen zeichnet sich dunkel vor dem rotleuchtenden Himmel ab. Weiter rechts erhebt sich der langgestreckte Ettersberg in tiefem Violett.

Unten in der Gerbergasse am anderen Ufer bellt ein Hund, das Wehr der Burgmühle rauscht. Die Geräusche in der

Ferne machen die Stille hier oben noch fühlbarer. Ja, hier müßte man sein Haus bauen! Aber nun hat ja der Herzog das Gelände wieder in der Hand.

Die Fahrt in die neue Heimat ist anstrengend! Die junge Erbprinzessin des Landes Sachsen-Weimar, Maria Pawlowna, lehnt sich ermüdet in den Fond des Wagens zurück. Seit dem 7. Oktober ist sie nun unterwegs, vier lange Wochen! Der Abschied von Rußland im Anschluß an den feierlichen Gottesdienst in der Kasanschen Kathedrale war schwer — aber wieviel Neues hat sie seitdem gesehen und erlebt! Wie anders ist dieses Deutschland als das weite Rußland! Sie greift nach dem Arm des neben ihr sitzenden Gemahls und sieht ihn lächelnd an. Karl Friedrich beugt sich galant vor und küßt ihr die Hand. Wie reizend sie aussieht mit den dunklen Locken und den schönen großen Augen, denkt er. Und so selbstsicher und gewandt ist sie!

Es ist der 7. November 1804. Nach einem nebligen und kalten Morgen kommt gegen Mittag die Sonne hervor. Bei Roßla, an der Grenze des Landes Sachsen-Weimar, empfängt der Major von Seebach an der Spitze seines Husarenkorps das zukünftige Herrscherpaar. Die Jungvermählten steigen hier in eine Galakalesche um, die von acht herrlichen Isabellenpferden gezogen wird. An der Spitze des Zuges sechzehn Postillione mit hohen weißen Lackzylindern, dann das Husarenkorps in leuchtendblauer Uniform, schließlich ein Zug Bauernburschen aus Roßla in ihrer Tracht, mit vielen bunten Bändern an den Hüten. Nun der vierspännige Herrschaftswagen mit den hellgelben schnaubenden Tieren, die stolz ihr silberbeschlagenes Geschirr tragen; die Federbüsche auf ihren Köpfen wehen.

Major von Seebach reitet rechts an der Seite der Erbprinzessin. Seine Galauniform wirft ein wenig Falten über der hageren Brust; ansonsten ist er eine chevevereske Erscheinung. Maria Pawlowna fühlt, dies ist keine konventionelle Ehrengarde, sondern eine persönliche, ritterliche Begleitung, die ihr die neue Heimat zusendet. Sie blickt in all dem Trubel zu dem markanten Gesicht neben sich auf.

«Dort unten», Karl Friedrich beugt sich vor und deutet in ein Tal zur Rechten, «dort hatte bis vor kurzem Papa Wieland sein Gut; er wird uns in der Stadt empfangen.»

«Ah, Wieland», sagt Maria Pawlowna lebhaft, indem sie die zweite Silbe des Namens betont und nasal ausspricht, denn dieser Name ist ihr nur auf französisch geläufig. Wieland, das ist ihr ein Begriff. Die Künste wurden gepflegt in Petersburg. Auch die Dichter Goethe und Schiller kennt sie gut. Und dieses berühmte Weimar wird nun ihre Heimat werden.

Schon wieder ein Dorf! Der Zug hält an. Weißgekleidete Mädchen knicksen. Der Schulze hält eine Ansprache, die Bauernburschen auf ihren Ackergäulen schwenken jubelnd die buntbebänderten Hüte.

«Dank», sagt Maria Pawlowna mit fremdem Akzent, «vie-len Dank-k.» Sie lächelt den Schulzen liebenswürdig an und reicht ihm die Hand.

«Wie heißt das Dorf?» fragt sie, als sie weiterfahren.

«Umpferstedt», antwortet Karl Friedrich.

«Uumpferstedt», die junge Erbprinzessin lacht, «Um-p-fer-stedt», und sie wölbt drollig den Mund vor bei den ihr fremden Lauten.

Karl Friedrich sieht sie von der Seite an und lächelt verliebt. «Dort im Tal liegt Tiefurt, das Lieblingsschloß der Grand'mère», erklärt er jetzt. «Dann nur noch an dem Wäldchen, dem Webicht, vorbei, und wir sind da.»

«Von der Altenburg aus können Eure Kaiserliche Hoheit ganz Weimar vor sich liegen sehen», erlaubt sich der Husarenmajor einzuwerfen.

«Dank, vie-len Dank-k», sagt die junge Fürstin freundlich

und blickt zu ihm auf. Sie hat nichts verstanden als «alte Burg» und «Weimar».

Sie fahren soeben durch eine der vier nebeneinanderliegenden Lindenalleen des Webichts. «Nun alten Burg?» fragt sie. Karl Friedrich sieht sie verständnislos an. «Ne l'a-t-il pas dit?» Sie deutet mit dem Kopf auf den Husarenoffizier.

«Ah, Altenburg», verbessert Karl Friedrich. «Die Altenburg ist ein kahler Berg unmittelbar über der Stadt. Der Herzog versucht jetzt, ihn aufzuforsten.»

«Man kann von dort aus die ganze Residenz überblicken», fügt Herr von Seebach hinzu.

Der Wagen hat das Wäldchen hinter sich gelassen. Er nähert sich der Stadt. Maria Pawlownas Herz klopft in Erwartung. Am Horizont sieht sie in der gläsernen kühlen Luft einen langgestreckten Höhenzug liegen.

«Das ist der Ettersberg», erklärt Karl Friedrich wieder. «Da haben wir ein Jagdschloß.»

Sie aber hört nicht mehr zu. Steil aufgerichtet sitzt sie da und saugt das bunte Schauspiel, das sich vor ihr auftut, mit allen Sinnen in sich ein: Glockengeläut ertönt, Böllerschüsse krachen, die Hörner der Postillione schmettern, Menschen rufen «Vivat!» und «Hoch!» und winken! Zu beiden Seiten des Weges stehen die Zünfte und Innungen in ihren bunten Trachten und schwenken Fahnen. Gleich wird sie Weimar erblicken!

«Votre Altesse Impériale, l'Altenburg», ruft Herr von Seebach, ohne seine parademäßige Haltung zu verändern.

Sie fahren einen steilen Abhang hinab, unten schlängelt sich der bunte Geleitzug dahin. Sie sieht drei zierliche Türme, dichtgedrängtes Häusergewirr, davor eine schmale Brücke mit zwei lodernden, rauchenden Glutpfannen.

Weimar! So klein − so klein?

«Comme elle est jolie, wie hübsch es ist», flüstert sie, während sie nach rechts und links lächelnd grüßt.

Kurz nachdem die Großfürstin Maria Pawlowna in Weimar eingezogen ist, wird der alte Plan verwirklicht, die Jenaer Chaussee, die zwischen dem Rothäuserberg und der Altenburg steil aufwärts führt, in einem langsamer ansteigenden Bogen und damit quer über die Altenburg zu verlegen. Die Straße wird breiter und ihr Gefälle geringer, aber ein großer Teil der jungen Fichten muß dabei wieder ausgerissen werden. Von nun an ist die Altenburg, der bisher still daliegende Hügel, unmittelbar in das große Geschehen der Welt einbezogen.

Am 14. Oktober 1806 erbebt ihr Boden von den schweren Haubitzen der Preußen und Franzosen. Dichter, unheimlicher Nebel hat sich seit dem frühen Morgen über Weimar zusammengezogen. Wie verschluckt von dem grauen Meer sind Türme und Häuser der Stadt, die unterste Terrasse des Berges mit den Lärmstücken. Bei Jena ist eine große Schlacht im Gange, bei Kapellendorf ein scharfes Gefecht, am Webichtende versuchen zurückweichende Preußen, noch einmal den Pariser Husaren, die von den Süßenborner Sandhöhen hinuntersprengen, standzuhalten. Vergebens! In wilder Flucht wälzt sich das geschlagene Heer der Preußen die Jenaer Chaussee entlang: Grenadiere, Füsiliere, Dragoner, Kanoniere, Troßfahrzeuge — alles regellos durcheinander. An der schmalen Kegelbrücke vor der Stadt staut sich der Strom und überflutet die Altenburg mit Menschen, Pferden, Geschützen, im Stich gelassener Bagage. Offiziere vermehren das Unheil, indem sie mit geschwungenen Säbeln von ihren sich bäumenden Pferden herab den Soldaten noch zu befehlen versuchen. Im Gewühl niedergetretene Verwundete, stöhnende Sterbende, Tote; dazwischen, widerwillig mit fortgerissen, gefangene Franzosen und schreiende Marketenderinnen. Und jetzt von oben, von der Jenaer Landstraße her, die ersten Pistolenschüsse der verfolgenden

Franzosen! Rette sich, wer kann! Verzweifelt wälzt sich das Chaos der Brücke zu.

Um drei Uhr hat sich der Nebel endlich etwas gehoben, und eine blasse Sonne scheint von Westen her auf die Altenburg. Tote Menschen, tote Pferde, zerbrochene Wagen! Da liegt eine Muskete, dort ein Tornister, ein Säbel, ein Helm, ein aufgesprungener Offizierskoffer. Ein blutrotes Ordensband, eine goldbestickte Uniform und ein batistenes Frauenhemd hängen heraus. Jenseits der Kegelbrücke und auf dem Töpfermarkt wird noch vereinzelt geschossen. Die meisten Preußen aber sind schon durch die Stadt hindurch auf dem Weg nach Erfurt.

Nun marschiert ein Regiment französischer Chasseurs auf der Jenaer Straße heran. Jubelndes Gebrüll erhebt sich, als die Soldaten von der Höhe der Altenburg aus die Stadt vor sich liegen sehen. Man hält an, man wirft die Tornister ab und beginnt eine seltsame Maskerade: Jeder zieht sein Hemd über die Uniform und steckt seinen Löffel an die Mütze. Die Sieger machen sich fertig zur Plünderung! Kaiser Napoleon selbst hat ihnen die erste unversehrte deutsche Stadt als Beute freigegeben. Sie schwatzen und lachen und johlen. Eine Gruppe der vermummten Soldaten stürzt sich auf die verlassenen Lärmstücke, zieht eines an den Rand des Plateaus und läßt es mit einem Tritt in die Tiefe hinabkollern. Mit triumphierendem Gelächter sehen sie zu, wie das Geschütz rollt, kippt, sich überschlägt und gegen die Mauer der Kegeltorwache prallt. Ein Lieutenant schießt übermütig ein anderes Stück ab und gibt damit das Signal zum Anmarsch. Sie formieren sich, und mit rauhen Stimmen ein Lied johlend, stampfen sie zur Plünderung hinab. Bei jedem Schritt wird eine Silbe gegrölt:

> «Man-geons,
> bû-vons,
> pil-lons,

brû-lons,
tous les mai-sons!»

Und immer wieder von neuem!

Es ist dämmrig geworden, und wie ein gespenstischer Zug böser Geister stürzen sich die weißen Gestalten auf die bejammernswerte Stadt.

Bald weht Brandgeruch herauf. Schrilles Weibergeschrei und Kinderweinen ertönen. Dazwischen die gellenden, langgezogenen Rufe: «Ah là, ici! Brû-lons, tous les mai-sons!»

Das Gasthaus jenseits der Brücke, dessen Besitzer geflüchtet ist, wird zuerst geplündert. In Pfannen und Töpfen und Krügen, in Stalleimern und Feuerlöscheimern tragen die Soldaten Wein, Bier und Schnaps davon. Einige schleppen die berauschende Beute über die Brücke zur Altenburg hinauf. Sie sind schon betrunken. Einer stürzt, er läßt seine Kupferkasserolle fallen, und der duftende Wein rinnt über die Erde. Er läuft über einen Fleck geronnenen Bluts hinweg, mischt sich damit und sickert langsam ein. Der Betrunkene am Boden, der erst dröhnend gelacht hat, stiert darauf. Dann legt er den Kopf auf den Arm und fängt mit blöde geöffnetem Mund an zu schnarchen.

In Weimar jedoch schläft in dieser Nacht kein Bürger. Die erste Stadt nach dem Sieg wurde geplündert: Menschen wurden mißhandelt, Frauen vergewaltigt, Wohnungen ausgeraubt, Hausrat sinnlos zerstört. Überall brennen die Biwakfeuer: auf dem Töpfermarkt, auf dem Marktplatz, im Park, auf dem Rothäuserberg, auf der Altenburg. Branntweinfässer lodern mit riesigen blauen Stichflammen zum Himmel. Ausgehobene Türen, abgerissene Treppen, Tische und Stühle brennen überall.

Im kalten Grau des nächsten Morgens rückt dann der Hauptteil des französischen Heers auf Weimar zu. Die unheilbringende Schlange schiebt sich langsam die Jenaer

Chaussee hinunter. Nun ist die Spitze an der Altenburg. Man hält, man rekognosziert. Zwölfpfünderbatterien fahren auf der mittleren Terrasse auf. Und schon dröhnt der erste Schuß über die Dächer der Stadt hinweg. Ziel ist die preußische Nachhut am Erfurter Tor. Dachgiebel werden getroffen, Schornsteine stürzen ein, Staubwolken wirbeln empor, Fenster klirren, Häuser gehen in Flammen auf. Eine kurze Zeit lang noch antworten die preußischen Geschütze von jenseits. Ihre Kugeln reißen große Trichter in den Berg. Erde und Steine spritzen umher.

Auch die nächsten Tage sind Leidenstage für Weimar: übermäßige Einquartierung in jedem Haus, die Lebensmittel gehen zur Neige, harte Kriegskontribution, überall auf den Gassen Unrat, alle Brunnen verschmutzt. Da bricht die Pest aus. Jedes größere öffentliche Gebäude, beide Kirchen und alle Gasthäuser müssen als Lazarett dienen. Aber die behelfsmäßige Unterbringung, der Mangel an Ärzten und Medikamenten, der Schmutz in der überfüllten Stadt lassen die Seuche fürchterlich um sich greifen. Schon sind viele Einwohner angesteckt. In den Lazaretten sterben Preußen neben Franzosen, in den Häusern die Bürger neben den Einquartierten. Und Morgen für Morgen im ersten Dämmerlicht fahren Bretterwagen von Lazarett zu Lazarett, von Kirche zu Kirche, von Haus zu Haus und holen die Toten heraus. Särge zu bauen hat man weder Zeit noch Holz; nicht einmal Säcke gibt es mehr. Die Leichen werden, so wie sie sind, auf Wagen gelegt, mit Stroh bedeckt und die steile Altenburg hinaufgekarrt, wo sie auf der Großmutter in Massengräbern verscharrt werden.

Der Major von Seebach hat am frühen Morgen auf der Flur hinter Tiefurt ein paar Hasen für das Schloß geschossen, denn das quillt über von Bürgern, die sich hier in Sicherheit gebracht haben, und der Speisezettel ist kärglich.

Vorn und hinten hängen ihm die erlegten Tiere über der Schulter, Diane, sein Jagdhund, läuft dicht bei Fuß neben ihm her. Er fröstelt, es ist schon kalt. Er steigt quer über die Abhänge der Altenburg zur Stadt hinab. Auf der mittleren Terrasse stockt er. Ein unerwartetes Bild bietet sich ihm: Zwei abgeschirrte Pferde stehen da und streifen mit gesenkten Köpfen über den weißbereiften Grasboden hin. Zwei Männer heben eine Grube aus. Ein strohbedeckter Karren steht mit gebrochener Deichsel daneben.

Herr von Seebach bleibt stehen. Diane hebt den Kopf und schnuppert in den Wagen hinein. «Pfui! Ab!» Herr von Seebach zieht das Tier am Halsband zurück.

«Wir müssen sie hier eingraben; der Wagen hielt nicht mehr», erklärt einer der Männer und legt grüßend die Hand an die Mütze.

«Franzosen oder Deutsche?» fragt Seebach.

«Franzosen, unten aus der Kirche», antwortet der Mann und deutet hinab.

«So», sagt Herr von Seebach, nimmt Diane an die Leine und steigt weiter abwärts.

Auf der untersten Terrasse, da, wo die Lärmstücke standen, bleibt er stehen. Er sieht auf die Stadt hinunter. Sie liegt still vor der wattigen Wand des Nebels. Wie ein Schiff fährt die hochgelegene Stadtkirche durch dieses milchige Meer. Turm und Dachreiter ragen schattenhaft empor. Die ganze Kirche voll kranker und verwundeter französischer Soldaten! Herr von Seebach sticht seinen Jagdstock in den leichtgefrorenen Boden und setzt sich nieder. Er war selber im Kampf, in Valmy, bei Mainz, bei Wetzlar — er weiß, was Krieg bedeutet. Plötzlich steht er auf und steigt die Anhöhe wieder hinan. Der Wagen ist nun leer. Die Männer beginnen gerade, das Grab zuzuschaufeln. Major von Seebach nimmt seine Mütze ab. «Macht einen anständigen Hügel, Leute!» sagt er und bleibt schweigend in Haltung daneben stehen.

Als sie fertig sind, setzt er seine Mütze wieder auf, nickt den Männern zu und wendet sich abwärts. «Komm, Diane», ruft er.

Karl August stand auf der Seite Preußens, und so wird Weimar zusammen mit Preußen in die Katastrophe der Niederlage hineingerissen. Napoleon selbst nächtigt ungerührt in der geschändeten Stadt.

Im November tritt der Herzog zwar zum Rheinbund über, aber der «Monsieur Weimar» bleibt für den Kaiser ein unsicherer Kandidat. Dennoch entschließt sich der Imperator, im Sommer 1807 auf seiner Rückfahrt von Dresden nach Paris noch einmal Weimar zu besuchen, «da es der Kulturmittelpunkt der deutschen Literatur ist».

Und so erwartet Weimar den siegreichen Herrscher. Er wird die Jenaer Chaussee herabkommen. An der Kegelbrücke ist eine Ehrentribüne errichtet worden. Der Stallmeister von Seebach soll den Kaiser an der Landesgrenze bei Roßla mit ausgeruhten Pferden erwarten. Ebenda wird Karl August zum Empfang bereit sein. Ein einfaches Diner im Schloß ist gerichtet.

«Sollen die Glocken geläutet werden?»

«Geläutet wird nicht!» entscheidet Karl August kurz, als er am 23. Juli um zwei Uhr morgens von Dresden her in seiner Residenz eintrifft, um bei diesem Besuch als Hausherr anwesend zu sein. Er hat sich widerwillig in letzter Minute aufgemacht. Vermutlich wird Napoleon sowieso auf sich warten lassen.

Mittags Viertel vor zwei sprengt ein französischer Kurier die staubige Altenburg herunter: Der Kaiser hat seine Pläne geändert, er wird sogleich in Weimar eintreffen! In Eile stürzt Karl August aus dem Schloß, besteigt sein Pferd und galoppiert über die Kegelbrücke zur Altenburg hinauf. Da aber kommt der leichte offene Wagen bereits angefahren.

Napoleon hat seinen grauen Mantel lose über die Schultern gelegt und den kleinen Dreispitz mit der französischen Kokarde auf dem Kopf. Er wendet das gelbliche undurchdringliche Antlitz nicht dem Herzog zu. Kein Glockengeläut? Kein Empfang an der Landesgrenze? Was denkt sich der «Monsieur Weimar»?

Karl August salutiert. Napoleon aber läßt seinen Wagen nicht halten. Der Herzog reitet neben dem Kaiser her die Altenburg hinab. Die zwanzig sechsspännigen Wagen des Gefolges hinterher. Napoleon schaut steinern geradeaus. «À la poste», befiehlt er kurz, als er über die Kegelbrücke rollt. Und ohne Aufenthalt, ja ohne Gruß fährt er ungnädig nach Erfurt weiter.

«Von Weimar aus wurden die Schwachen ermutigt, der Haß gegen den Tyrannen genährt und manches ohne Aufsehen vorbereitet, was 1813 beim Ausbruch des Krieges sich als echt deutsches Element zeigte», so schreibt der General von Müffling später in seinen Erinnerungen.

Aber Anfang des Jahres 1809 erscheint im Verlag des Landes-Industrie-Comptoirs in Weimar ein Sonderdruck, ein Prachtwerk in riesigem Format mit fünf Abbildungen: Es ist die Beschreibung der Feste, die am 6. und 7. Oktober 1808 zu Ehren der Kaiser Napoleon von Frankreich und Alexander von Rußland in Weimar gegeben worden waren.

«Die neuere Geschichte», so beginnt die Einleitung dieser Festschrift, «wird in ihren Annalen die merkwürdige Zusammenkunft der mächtigsten Monarchen des Kontinents, der Kaiser von Rußland und von Frankreich, unvergänglich aufzeichnen. Beseelt von dem Wunsche eines allgemeinen Friedens, näherten sich einander die Kaiser, und in den Händen dieser mächtigen Herrscher wurde von neuem das Schicksal des Südens und Nordens gewogen.»

«Merkwürdige Zusammenkunft»? — Zum zweitenmal jährt sich der Tag der Schlacht von Jena, und der Imperator beschließt, bei einer Hasenjagd den vielen gekrönten Häuptern des Erfurter Kongresses triumphierend den Ort seines Sieges zu zeigen.

Am 7. Oktober um neun Uhr morgens fährt Wagen um Wagen über die Kegelbrücke die Altenburg empor. Die Pferde schnauben und nicken bei dem steilen Anstieg. Weimarische Husaren unter Führung des Obersten von Seebach eskortieren den Zug. Hunderte von schaulustigen Bürgern säumen an dem sonnigen Herbstmorgen die Chaussee. Da kommt der offene leichte Jagdwagen, in dem Alexander und Napoleon sitzen! Napoleon hat den russischen Andreasorden angelegt, der Zar trägt das rote Band eines französischen Ordens. Die Monarchen plaudern miteinander und grüßen gnädig ab und zu nach rechts und links.

Die beiden mächtigsten Herrscher des Kontinents, die über Krieg oder Frieden entscheiden werden, freundschaftlich, wie es scheint, nebeneinander!

Die Wagen der Könige von Bayern, von Sachsen, von Württemberg folgen, dann der Wagen des Fürstprimas und aller anderen Fürsten; unter ihnen der des Prinzen Wilhelm von Preußen. Karl August ist nicht dabei. Er läßt sich durch den Erbprinzen Karl Friedrich vertreten. Er kann es nicht über sich bringen, diese «Hasenjagd» mitzumachen. Und viele empfinden wie er.

Vom frühen Nachmittag an warten zwei preußische Offiziere voller Unruhe auf die Rückkehr des Jagdzuges. An der Grenze der Altenburg, am Rande des Webichts, halten sie sich verborgen. Sie tragen keine Uniform und sind mit Geld und etwas Mundvorrat ausgerüstet. Jeder hat zwei geladene Pistolen bei sich. Heute muß es endlich gelingen, die Welt und das Vaterland von dem Imperator zu befreien! Gestern abend nach der Aufführung des «Mort de César» ist der Anschlag mißglückt — heute bei der Rückfahrt von Jena aber kann der Tyrann ihnen nicht entgehen.

Endlich! Da nähert sich der Zug von Umpferstedt her: der leichte offene Jagdwagen wieder voran — aber halt! Neben Napoleon sitzt diesmal der eigene Fürst, Prinz Wilhelm von Preußen! Die Pistolen streuen beim Schuß! Wenn nun Prinz Wilhelm getroffen würde! Die beiden Offiziere zögern. Schon ist die Chance vorbei — und der Schuß, der in ganz Europa vernommen worden wäre, unterbleibt. Napoleon fährt unversehrt die Altenburg wieder hinab.

Und dennoch! Die Situation hat sich gewandelt. Der Herrscher Rußlands sitzt nicht mehr freundschaftlich plaudernd neben dem französischen Kaiser. Eine Verstimmung ist zwischen ihnen eingetreten. Der Krieg, der den Siegeslauf des Eroberers endigen wird, wirft seinen drohenden Schatten über den Jagdzug auf der Jenaer Chaussee.

Durch ein Dekret vom 4. Februar 1808 wird der Stallmeister Major Friedrich von Seebach zum Husarenoberst ernannt.

Im Spätherbst des gleichen Jahres reitet er mit dem Hauptmann von Lyncker aus Kromsdorf die Jenaer Chaussee im Trab hinunter. Sie haben auf den Lynckerschen Besitzungen hinter Tiefurt gejagt. Vom Kromsdorfer Schloß aus sind sie quer über die Feldwege zur Jenaer Chaussee hinübergeritten.

Dem Obersten von Seebach ist frei und leicht zumute. Trotz fremder Besatzung, trotz Napoleons Kriegen kann man noch reiten und bunte Wälder sehen und freie Luft atmen. Er denkt an das phantastische Schlößchen Kromsdorf mit dem Fasanengarten und den amüsanten Büstenporträts weltgeschichtlicher Persönlichkeiten an den Parkmauern, das so ganz abgelegen mitten in den Ilmwiesen steht. Man sollte auch so was eigenes haben, in der Nähe des Herzogs, aber doch ein wenig abseits!

Die beiden Offiziere reiten schweigsam nebeneinander-
her. Oberst von Seebach weidet sich am Anblick des Ettersbergs.

«Lyncker», sagt er plötzlich, «nehmen Sie nun eigentlich
die Altenburg oder nicht?»

«Mir zu teuer», antwortet Hauptmann von Lyncker. «Im
Sommer 1806, da hätte ich's noch gekonnt. Die Hälfte der
Kosten für die Anpflanzung der Fichten sollte ich zahlen,
die andere Hälfte der Bäume wurde ja beim Bau der
Landstraße zerstört. Sollte ein Kaufpretium von zwei-
hundertsechsundzwanzig Talern sein für die acht Äcker. Na,
Sie wissen ja, wie die Franzosen auf allen Gütern gehaust
haben. Bares Geld haben wir schon gar nicht mehr. Und die
Kosten würden dann doch erst anfangen. Es war mal so
meine Idee: vom Bärenhügel her bis nach Weimar alles
Lynckerscher Besitz! Das bißchen Tiefurt dazwischen, das
sieht man ja gar nicht.» Er lacht.

Die Reiter sind inzwischen auf der Altenburg angekom-
men und machen dort halt. Herr von Lyncker will ins neue
Schießhaus hinüber. Er verabschiedet sich und wendet sein
Pferd nach Norden, nach dem Hölzchen.

«Also dann reflektieren Sie nicht mehr auf das Terrain?»
ruft ihm Seebach nach. Herr von Lyncker wendet den Kopf
und schwenkt seine Gerte ein paarmal verneinend hin und
her.

Oberst von Seebach verweilt noch auf der zweiten Terrasse. Er läßt seine Augen wie schon so oft über das geliebte
Bild schweifen: der Ettersberg rechts am Horizont, die drei
Türme über den Häusergiebeln, das Schloß — alles ganz in
der Nähe, aber doch durch Fluß und Brücke getrennt. Hier
auf diesem Berg, weiten Himmel über mir, mit Rückendek-
kung, wie es gut ist für einen, der vom Leben angeschlagen
ist, hier will ich bauen, denkt er. Hier auf der zweiten
Terrasse, wo man auch einen Garten anlegen kann. Er sieht

im Geiste das Haus vor sich, breit, mit einem Portal in der Mitte, gelb leuchtend zwischen den grünen Fichten, die Front nach Südwesten, dem Schloß zugewandt. Ein Schlößchen wie Kromsdorf, natürlich nicht so verrückt und anspruchsvoll. Eine neue alte Burg — eine Burg der Seebachs! Er lächelt vor sich hin. Ob's der Steiner baut? Zeit hätte er jetzt vielleicht. Wer baut denn schon in diesen schlechten Zeiten! Man hat durch die Beförderung die erhöhten Revenuen, und von seiner Frau Henriette ist auch noch etwas Geld da. Er beugt sich über den glatten warmen Pferdehals: «Roy, wenn das gelänge!» Das Tier fühlt den warmen Atem, läßt die Ohren spielen und bäumt den Kopf. «Roy», flüstert der Reiter und klopft dem Tier den Hals, «ein schöner Stall für dich, und wir beide gleich morgens immer draußen. Und das Soldatengrab dort ist kein schlechter Gefährte für unsereinen. — Komm!» Er schnalzt mit der Zunge und gibt einen leichten Schenkeldruck. Beim Abwärtsreiten mustert er den Boden. Es ist doch nicht zu glauben, daß hier nichts wachsen soll! Sonne ist da, Luft ist da. Mist muß rein, und richtig kümmern muß man sich drum!

Und zwei Jahre später besichtigt Oberst von Seebach seinen Neubau. Es ist der 21. März 1811, ein strahlender Tag. Ein zartblauer Himmel mit großen flaumigweißen Wolkenballen spannt sich über den Berg. Herr von Seebach schaut von der Kegelbrücke aus empor. Da oben steht es, den Berg beherrschend: sein Haus!

Der ganze Außenbau ist noch vor dem Winter fertig geworden und konnte trocknen. Zimmerleute und Maurer haben die Arbeit gerade wiederaufgenommen.

Herr von Seebach steigt die fünf flachen, breiten Stufen zu der noch leeren Höhlung der Haustür hinauf und betritt das geräumige Vestibül. Im Hintergrund führt die Treppe empor, links daneben öffnet sich ein schmaler Durchgang

zum Hof. Er wirft einen flüchtigen Blick in die Garderobe-
räume beiderseits des Eingangs, dann betritt er das geräumige Gartenzimmer zur Rechten, auf das er sich besonders freut. Ein hölzerner Rundbogen verbindet großzügig
zwei Räume, und eine Glastür wird unmittelbar in die Fich-
tenschonung hinausführen. Er steht im noch rohen Tür-
rahmen und blickt auf den gelben winterlichen Rasen. Er
mustert die Fichten, die hie und da gewachsen sind; noch
kann er bequem über sie hinwegsehen. Ein Waldgarten,
denkt er, das ist schön; und er schaut zu der sich hinter dem
flachen Grund steil erhebenden dritten Terrasse. Dort wird
er schnellwachsende Laubbäume anpflanzen, die einen
ovalen Platz umsäumen, auf dem man an Sommerabenden
sitzen kann. Die Sonne scheint auf die Südseite des Hauses.
Wie sie schon wärmt! An der Hausmauer müßte doch Wein
gedeihen!

Herr von Seebach pfeift dem Hund, der aufgeregt
schnüffelnd auf dem Rasen herumläuft. «Ist's schön hier,
Diane?» sagt er und streichelt den Kopf des zu ihm auf-
sehenden Tieres. Dann geht er zurück ins Vestibül und steigt
über Kübel und Planken hinweg die geschwungene Treppe
hinauf, die noch im Rohbau ist und den Geruch frischen
Holzes ausströmt.

Oben in der Vorderfront befindet sich ein geräumiger Saal
und rechts und links davon je ein Eckzimmer. Er tritt zunächst in das zur Rechten und schaut durch die leere
Fensterhöhle hinaus. Herrlich, denkt er, herrlich dieser Blick
auf die Stadt und den Ettersberg! «Allez hopp, Diane», ruft
er und klopft mit der Lederpeitsche auffordernd auf den
tiefen, noch unverputzten Rahmen. Der Hund legt gehor-
sam seine Vorderpfoten auf die Mauer, dann aber läuft er
schnüffelnd weiter. Der Hausherr geht ihm nach über die
noch losen Bretter des ersten Stocks und betritt den Saal.
Er hat drei Fenster, deren mittleres dreigeteilt ist: rechts und

links von einem breiten Fenster je ein schmales, alle drei verbunden durch einen Rundbogen. Der Raum bekommt dadurch ein besonderes Gesicht.

Befriedigt geht Herr von Seebach weiter in den Ecksalon auf der anderen Seite, nach Südwesten zu. Dies soll Henriettes Zimmer werden. Von hier aus kann man den Lauf der Chaussee in beiden Richtungen weit überschauen und hinter dem abschüssigen Hang mit den jungen Fichten breit hingelagert das Schloß sehen. Er wird noch einen Weg anlegen über diesen Hang, der nicht den weiten Bogen der Straße mitmacht, sondern vom Haus geradewegs zur Brücke hinabführt.

Jetzt rollt unten von Jena her eine Chaise mit zwei französischen Offizieren heran. Herr von Seebach tritt zurück, um nicht gesehen zu werden. Er aber kann den Wagen weithin verfolgen, wie er von oben kommt, in einigem Abstand an seinem Haus vorüberfährt und nach der Kurve nochmals auftaucht. Herr von Seebach lächelt befriedigt: er ist für sich, und doch muß alles, was von Osten nach Weimar und von Weimar nach Osten will, durch sein Grundstück! Eine Hecke aus Kornelkirschen wird er als Abschluß gegen die Chaussee pflanzen. Er liebt diesen Strauch, der etwa um diese Zeit goldgelb blüht.

Er atmet tief die scharfe durchsonnte Märzluft ein, die nach feuchtem Kalk und frischem Holz riecht. Im Herbst wird er einziehen können. Es ist schön, im eigenen Haus zu wohnen; zum Menschen gehört ein Haus.

Oberst von Seebach steigt pfeifend und mit elastischen Schritten die gewundene Treppe in der Mittelachse des Hauses wieder hinunter. Die Stufen haben nur Trittbretter, das Holz ist splittrig, das Geländer fehlt. Der Hausherr aber schreitet stolz hinab, als sei alles schon fertig. Er schlägt sich bei jedem zweiten Schritt fröhlich mit der Lederpeitsche ans Bein. Diane läuft neben ihm her, dicht bei Fuß, mal auf der rechten, mal auf der linken Seite, wie es die Windung der Treppe ergibt.

Am 11. Oktober 1811 erscheint im «Weimarischen Wochenblatt» folgende Anzeige:

«Daß ich seit dem 8. Oktober vor die Stadt in das in meinem Garten erbaute Haus gezogen bin, mache ich hiermit ergebenst bekannt.

Altenburg bei Weimar   Friedrich von Seebach
             Stallmeister»

Es ist ein stolzes Haus geworden, das Haus auf der Altenburg, ein Haus, das Raum um sich her beansprucht. Mehr breit als hoch, so liegt es unter flachem blauem Schieferdach hinter einem Halbkreis von Rasen etwas abseits von der Straße. Seine Front ist dem Schloß zugekehrt und trägt eine klare, wenn auch sparsame Gliederung: eine Dreiteilung in der Höhe, eine Dreiteilung in der Breite und in jedem Stockwerk die Mitte betont durch enge Zusammenrückung dreier Fenster. Aus der zwar ein wenig zu schmal geratenen zweiflügeligen Haustür tritt man über fünf flache, breite Sandsteinstufen auf die Erde hinab. Zwei reliefartig aus der Mauer hervorspringende Pilaster mit strengen Profilen umrahmen das Portal. Einfache Schmucklinien beleben das Mauerwerk, das in dem typischen warmen Gelb der weimarischen Häuser leuchtet.

Abweisend und gleichsam in sich gekehrt, aber selbstbewußt und repräsentativ, so steht das Haus des Sonderlings Friedrich von Seebach herrschend auf dem beherrschenden Hügel über der Stadt. Außer den Fichten, die vereinzelt im Gelände aufragen, hat es keine Nachbarschaft.

In jenem Herbst, in dem es fertig und von den Seebachs bezogen wird, liegt es Nacht für Nacht unter dem Licht eines gewaltigen Kometen. Dieser Komet, der größte, der seit dem Dreißigjährigen Krieg über der nördlichen Halbkugel der

Welt erschien, ist für Deutschland fast ein Vierteljahr lang in den Abendstunden sichtbar.

Am 10. September betrachtet Goethe, als er, von einem Nachtessen im Schießhaus kommend, auf die freie Altenburg heraustritt, das seltene Gestirn. Neben dem neuerrichteten Seebachschen Haus steht er und bewundert «die herrliche Lichterscheinung, die unser Auge entzückt und unsern innern Sinn ins Weltall hinausfordert». Es ist ein anderer Goethe auf der Altenburg als der, der sich 1781 mit eigenem Schicksal plagte!

Der Saal in der Mitte des Hauses ist nun eingerichtet. Das Sofa mit goldenen Fackeln rechts und links an der Lehne und dem gold-rot gestreiften Bezug steht an der Wand links neben der weiß-goldenen Flügeltür. Ein ovaler, blank polierter Tisch davor und rings an den Wänden in regelmäßigen Abständen Ebenholzstühle mit einem lyraförmigen Motiv in der Rücklehne. Ein Nähtischchen, gleichfalls aus Ebenholz, steht am linken Fenster und quer in der rechten Fensterecke ein Spinett. Er ist sparsam möbliert, der Saal, und doch repräsentativ.

Am 22. Oktober empfängt das Haus seine ersten Gäste. Beide Flügel der Haustür sind weit aufgetan. Ein roter Teppich breitet sich über die flachen Steinstufen. Die blankgeputzten Fenster fangen rosig spiegelnd den Schein der untergehenden Sonne auf.

Außer den Verwandten, den Ziegesars aus Jena, den Steins aus Kochberg, dem Bruder Louis aus Zillbach, dem Forstmeister, kommen die beiden alten Freundinnen Charlotte von Stein und Charlotte von Schiller. Auch der Herzog hat zugesagt. Er tritt unkonventionell in Begleitung von zwei Hunden ein. Der eine ist sein Geschenk zum Einzug: seine Lieblingshündin Bellotte, ein edles, braunweiß geflecktes Tier, das Seebach immer schon bewundert hat.

Weimar um 1800

Johann Wolfgang Goethe

Charlotte von Stein

Kegelbrücke in Weimar

Winterliche Mondnacht am Schwansee

Grabstein der Henriette von Seebach

Herzog Karl August

Karl August und der Oberstallmeister von Seebach
von der Jagd zurückkehrend

Im Saal brennt hinter Messinggittern Feuer im Kamin, und die beiden Hunde, Diane und Bellotte, liegen, die Köpfe wachsam zwischen den Vorderpfoten, davor. Man sitzt um den ovalen Tisch; die zarten Teetassen klirren leise. Man unterhält sich über Wielands Befinden, der sich kürzlich auf der Fahrt nach Tiefurt bei einem Wagenunglück nicht weit von der Altenburg Schlüsselbein und Schulter gebrochen hat. Man spricht über die Zeichenschule, die eingerichtet werden soll, und der Herzog entwickelt seine diesbezüglichen Absichten: Er wird seine Kunstsammlung zum Kopieren in die drei Ateliers geben; Hofrat Meyer und Professor Jagemann werden die Lehrer sein; jedermann soll dort zeichnen lernen können.

Dann spricht man von Goethe. Man berichtet Wesentliches und klatscht auch ein bißchen — so sehr ist er, auch abwesend, Mittelpunkt des Kreises. Er hat soeben seine einzige Nichte verloren und ist getroffen, ohne es zu sagen. Charlotte von Stein weiß zu berichten, daß die junge Malerin Luise Seidler ihn jetzt porträtieren dürfe. Sie lächelt ein wenig mokant dabei, da sie weiß, wie der alte Freund das hübsche Mädchen hofiert. Henriette von Seebach schwärmt von den Nibelungenzeichnungen des Malers Peter Cornelius, die Goethe neulich in seinem Hause den Gästen zeigte, und beide Frauen sprechen dann begeistert von dem Nibelungenlied, einem wiederaufgefundenen Dokument deutscher Geschichte, aus dem er in einer darauffolgenden Abendgesellschaft vorgelesen hat.

«Ja», sagt Frau von Stein lebhaft, «deutsch — das dürfen wir nur noch in der Literatur sein», und ihre dunklen Augen flammen unter der Batisthaube auf, aus der ein Geriesel grauer Löckchen hervorquillt.

Und nun ist man bei dem Gesprächsthema, das alle erregt, bei der Politik.

«Der Mörder! Der große Mörder», stößt Charlotte von

Stein hervor, «das ist die einzige Größe, die ich diesem Napoleon zugestehe!»

«Im Lügen ist er ebenfalls groß», meint der Hausherr bitter. «Er hat ausdrücklich versprochen, unsere Truppen nicht in Spanien einzusetzen, und wo kämpfen nun die armen Kerle? In Spanien natürlich.»

«Gibt es denn keinerlei Hoffnung?» fragt der Kochberger Karl von Stein den Herzog, der auf Seebachs Bemerkung geschwiegen hat.

In diesem intimen Kreis weiß man, daß Karl August auf dem Weg über Österreich und den General Müffling geheime Botschaften über die politische Lage erhält.

«Die Russen werden wohl nicht tatenlos zusehen, wenn Napoleon ihr Land überfällt.» Der Herzog zögert, mehr zu sagen.

«An diesem Riesenland wird er sich die Zähne ausbeißen», meint Friedrich von Seebach nach einer Weile allgemeinen Schweigens.

«Wenn es nur erst soweit wäre!» fällt der Forstmeister von Seebach lebhaft ein. «Ich würde meinen Wald verlassen und selber Freiwillige anführen — es wären sicher nicht wenige. Viele denken noch vaterländisch.»

«Ach», seufzt die Hausfrau Henriette, «man kann bei diesem allgemeinen Unglück doch niemals recht froh werden.» Sie trägt ein Kind unter dem Herzen.

«Ich hasse die ganze Weltgeschichte», stimmt Frau von Stein zu. «Was wir jetzt an Elend und Leid durchmachen, das verzeichnet sie dann ungerührt in ihrer Chronik.»

«Ja», sagt Charlotte von Schiller, «das Leben besteht im Ertragen.»

«Im Handeln, Madame! Im Handeln und Widerstehen», widerspricht der Herzog und wendet ihr sein großgeschnittenes, markantes Gesicht zu. «Sehen Sie sich um, trotz der schwierigen Zeit hat Seebach dieses Haus in die Einöde gebaut. Es lebe die Altenburg, die neue alte Burg! — Da werden Sie nun wohl ganz für den Hof verloren sein, Seebach?» wendet er sich spöttisch an den Hausherrn.

«Ich werde meinen eigenen Hof hier aufbauen — mit der Front natürlich immer zum Schloß», antwortet Seebach sarkastisch lächelnd. «Es soll noch ein ganzes Karree von Gebäuden entstehen. Hier, hier und hier», er zeichnet mit dem Fingernagel ein offenes Viereck in das weiche Tischtuch, «die Gärtnerwohnung, ein Wirtschaftsgebäude, eine Scheune mit gebuckeltem Dach.»

«Donnerwetter», sagt Karl August, «wie wollen Sie denn das alles bezahlen?»

«Mit Geldern, die die Hofkasse mir hoffentlich vorstreckt», erwidert Seebach.

«Friedrich», mahnt Henriette leise.

Der Herzog aber lacht dröhnend. «Lassen Sie ihn, Madame, wir kennen uns seit zwanzig Jahren, nicht wahr, Seebach? Mein Erstes ist naß, mein Zweites ist naß, und mein Ganzes ist trocken — was ist das?»

Seebach verzieht die Mundwinkel ein wenig. Er beugt sich nieder, krault Diane das Fell, sucht nach einem Floh, hält ihn zwischen den Fingern und setzt ihn mit spöttischem Blick hinüber auf den Hund des Herzogs.

«Friedrich!» mahnt Henriette wieder.

Aber Karl August lacht nur wieder laut. Doch dann erhebt er sich. «Jetzt müssen Sie mich aber entschuldigen, ich muß leider aufbrechen.»

«Wir wollen alle aufbrechen», sagt Frau von Stein, sich gleichfalls erhebend. «Man möchte nicht allzu spät nach Hause kommen; überall die fremden Soldaten, und es kommt doch immer wieder etwas vor.»

Herr und Frau von Seebach geleiten die Gäste hinunter. Rechts und links vor der Haustür sind nun die Öllaternen angezündet. Aber ihr Schein dringt nicht weit.

Der Herzog tritt ein paar Schritte ins Dunkel hinein. «Da», sagt er, «da! Herrlich! Der Komet!»

Und alle stehen vor dem neuen Haus auf der Altenburg und sehen zum Himmel empor. Mit leuchtendem Schweif steht über ihren Häuptern der Komet und strahlt seinen Lichtglanz auf die Erde herunter.

Er wird auf den Weinbergen den «Elfer», den feurigen Wein, reifen lassen, den Goethe drei Jahre später am Rhein genießen und im Gedicht rühmen wird.

Zur gleichen Stunde wird tief in Ungarn, in Raiding, dem Esterházyschen Rentmeister Liszt sein erster und einziger Sohn Franz geboren.

Der Stammhalter, den Henriette bei diesem Einweihungsfest unter ihrem Herzen trägt, ist wie fünf Geschwister vor ihm nicht lebensfähig gewesen. Der kleine Friedrich Thilo Erdmann, der am 20. Februar 1812 in der Altenburg zur Welt kommt, stirbt bereits am 21. April am Stickfluß.

In der eisigen Nacht des 15. Dezember dieses Jahres jagt ein mit Pelzen ausgelegter Wagen, von Reitern eskortiert, an dem einsamen Haus vorüber die steile Altenburg hinab. Napoleon sitzt darin. Das brennende Moskau und seine sterbende Grande Armée hinter sich, fährt er nach Paris zurück. Eine skrupellose Botschaft schickt er voraus: der Kaiser habe eine Schlacht verloren; Majestät selber befinde sich wohl wie immer. Am Kegeltor unter der Altenburg hat er Aufmerksamkeit und Gleichmut genug, sich nach Goethe zu erkundigen und Seine Exzellenz grüßen zu lassen.

Am 12. August 1813 dann wird dem Hause Seebach auf der Altenburg nach den beiden Töchtern Amélie und Helene endlich ein Sohn geboren.

Henriette liegt im Schlafzimmer im ersten Stock. Das

Kind schläft in der alten Seebachschen Wiege mit dem Wappen, das drei rote Seerosenblätter zeigt.

Vom Hof her tönen durch die offenstehenden Fenster ländliche Geräusche herein: Die Enten auf dem Hoftümpel schnattern, ein Hahn kräht, die Pferde rasseln mit den Ketten oder treten ab und zu mit dumpfem Stoß gegen ihre Box. Es ist frühmorgens. Henriette vernimmt die Stimme ihres Mannes, die Antwort des Reitknechts, und nun hört sie, wie ein Pferd aus dem Stall geführt wird. Sie weiß, Friedrich ist zur Jagd nach Ilmenau befohlen. Schade, daß er schon wieder weg muß. Das Haus ist so einsam, und Gustav ist erst acht Tage alt. Dazu die unruhigen Zeiten! Immer wieder ziehen Truppen durch! Mal Österreicher, mal Franzosen, mal Preußen — und requirieren tun sie alle. Sie schließt die Augen und lauscht dem Atem des Kindes.

Nach einer Zeit hört sie Friedrichs leichten Schritt die Treppe heraufkommen. Er ruft nach Amélie und Helene: «Kommt, wir wollen der Mama und dem Brüderchen guten Morgen sagen!» Und nun treten sie alle drei ins Zimmer. Die beiden kleinen Mädchen laufen ans Bett, knicksen und küssen der Mama die Hand, dann stürzen sie zu der Wiege. Seebach ist bereits in Jagduniform, er hat die unvermeidliche Lederpeitsche in der Hand. Nun kehrt er sich lächelnd gleichfalls dem Sohne zu. «Na, ihr Trabanten, jetzt laßt mich mal ran.» Der große hagere Mann mit der leicht vorgebeugten Haltung steht an der Wiege. Er hebt mit der Lederpeitsche den Vorhang zur Seite und sieht auf das Kind herab. «Na, Männlein», sagt er leise. «Er hat Ähnlichkeit mit dir, nicht wahr?» bemerkt er, zu Henriette gewandt. «Er sieht kräftiger aus als die anderen bisher.» Oberst von Seebach faßt mit der freien Linken in die Wiege und stopft ungeschickt einen Zipfel der Decke fest. «Adieu, Männlein», sagt er, läßt den Vorhang zurückfallen und tritt an Henriettes Bett, um sich zu verabschieden.

In der Nacht zum 21. Oktober 1813 wacht Henriette von Seebach auf. Das Kind schreit; es wird Friedrich stören, der sowieso jetzt immer anstrengenden Dienst hat. Sie steht auf, hängt sich ihren Morgenrock um, hebt den kleinen Sohn aus der Wiege und tritt zum Fenster. Es ist eine mondhelle Nacht. Sie hört von weitem Pferdegetrappel. Es ziehen wohl wieder Truppen durch. Jetzt kann sie den Zug genau erkennen: Es sind Kosaken! Voran ein Offizier; in sich zusammengesunken, hockt er auf seinem struppigen Gaul. Etwa fünfhundert Reiter folgen. Sie scheinen mit ihren kleinen Pferden zusammengewachsen zu sein. Jetzt ein kurzer Aufenthalt – wohl unten vor dem Kegeltor, der Zug stockt vorm Haus. Dann ziehen sie in die Stadt ein.

«Was war das?» fragt Friedrich, der aufgewacht ist.

«Ein Trupp Kosaken!»

«Wird wohl die Sauvegarde sein, die der Zar seiner Schwester zuliebe herschickt. Gut, daß die Verbündeten gesiegt haben. Nun kommen endlich andere Zeiten, Henriette!»

Eine halbe Stunde später – die Seebachs sind gerade wieder eingeschlafen – pocht es unten an der Haustür. Der Reitknecht Karl öffnet, kommt die Treppe herauf und klopft.

«Was gibt's?» ruft Friedrich hinaus.

«Der Herzog läßt dem Herrn Oberst sagen, er möchte sogleich ins Schloß herunterkommen, der Herr Oberst von Geismar wäre mit seinen Kosaken angekommen.»

«Sag Er, ich käme sofort hinunter.» Oberst von Seebach schlägt seufzend seine Bettdecke zurück.

Der unruhigen Nacht folgt ein unruhiger Tag und wieder eine schlafarme Nacht.

«Henriette, ich reite jetzt mit dem Herzog nach dem Webicht hinaus. Dort biwakiert der Hetman Platow mit dreitausend Kosaken. Ich glaube, man kann zunächst ruhig sein und hierbleiben.»

Oberst von Seebach ist nur auf einen Augenblick am Morgen des 22. Oktober heimgekommen und reitet sogleich weiter.

Henriette sieht ihm mit den Kindern nach. Er trabt schnell, um den Herzog einzuholen. Ehe er oben am Ende des Grundstückes verschwindet, wendet er noch einmal den Kopf und grüßt, indem er die Lederpeitsche hebt. Bellotte umspringt ihn laut kläffend; er langt mit dem Peitschenstiel hinunter und weist das Tier zur Ruhe. Henriette seufzt. «Bellotte ist doch beim Papa, die wird schon auf ihn aufpassen», tröstet Amélie sie.

Es wird ein böser Tag. Draußen auf der Straße ein ununterbrochener Strom von marschierenden Soldaten, schnell vorbeijagenden Kurieren, schweren Pulverwagen, endloser Bagage, schaulustigen Bürgern. Die Kinder kommen den ganzen Tag nicht von den Fenstern weg. Gegen Mittag knallen plötzlich Schüsse in der Stadt, ganz nahe, unten von der Gerbergasse her. Allmählich verhallt das Gefecht wieder. Doch plötzlich, nachmittags um vier Uhr, ein unheimlich pfeifendes Geräusch, ein dumpfer Schlag, das ganze Haus erzittert; Fensterscheiben klirren, Erde spritzt auf. Eine Kanonenkugel ist unmittelbar auf dem Hof der Altenburg eingeschlagen! Henriette stürzt ins Schlafzimmer, sie reißt das schlummernde Kind aus der Wiege, wickelt es in Decken und ruft nach den Mädchen: «Amélie, Helenchen, kommt schnell hinunter ins Gartenzimmer! Sie beschießen die Altenburg.»

Rrrumm — der zweite Einschlag! Wieder zittert das Haus; Glas klirrt, Kalk und Mörtel fallen in Brocken von den Wänden, ein Stuhl fällt um, eine Vase stürzt vom Schrank. Immer häufiger pfeifen die Kugeln. Rings um das Haus spritzt die Erde hoch von den Einschlägen, tiefe Trichter entstehen, und immer wieder bebt das Haus — die Altenburg liegt mitten im Beschuß, über zwei schreckliche Stunden lang. Henriette sitzt angstvoll mit den Kindern im Gartenzimmer.

Karl sieht draußen nach dem Rechten, kommt ab und zu herein und berichtet. «Die Kosaken kommen wieder den Berg herauf! Unten, wo die Lärmstücke standen, läßt der Geismar eine Batterie aufpflanzen. Die Franzosen schießen unaufhörlich von der Ochsenwiese her.»

Endlich wird es ruhiger. Henriette atmet auf. Kein Schuß hat direkt getroffen. Dem Haus ist nichts geschehen; aber die Räume bieten einen wüsten Anblick: Überall liegen Glassplitter und Brocken von Mörtel umher. Das kleine Ebenholznähtischchen ist umgefallen. Die Stühle mit der Lyra in der Lehne sind durcheinandergeschoben. Die Gardinen hängen zerfetzt in den Fensterhöhlen. Im ganzen Haus ist keine Scheibe mehr heil. Sie gibt Anweisung zum Aufräumen und schüttelt als erstes Gustavs Bettzeug durchs Fenster aus, um es von Kalkbrocken und Glassplittern zu säubern. Dann legt sie das Kind in die Wiege und sieht draußen nach den Tieren. Sie klopft den Pferden beruhigend den Hals und redet ihnen leise zu. «Bald kommt der Herr. Ruhig — ruhig!» Schließlich sitzt sie da, in Mantel und Decken gewickelt — denn kalte Luft kommt durch die zerbrochenen Fenster herein —, und wartet. Lange, endlos lange, wie ihr scheint. Die Kinder hat sie neben sich; sie schlafen alle drei friedlich nach all der Unruhe. Im Haus ist es still; auf der Chaussee aber marschieren ununterbrochen Soldaten.

Da plötzlich von ferne Musik! Lärm und Gejubel von der Stadt her. Das klingt wie gute Botschaft! Sie tritt ans Fenster und faltet die Hände. Mit einemmal flammen unten überall Lichter auf. Ein Vers kommt ihr in den Sinn. Goethe hat ihn im Frühjahr auf der Reise nach Teplitz den Freiwilligen als Waffensegen mitgegeben. Sie hat ihn von Tante Stein gehört und, weil er so tröstlich klang, sich gemerkt:

> So finster es oft und so dunkel es war,
> In drängenden Nöten, in naher Gefahr,
> Auf einmal ist's lichter geworden.

Sie bleibt am Fenster stehen und schaut auf das Hin und Her der Wagen, Pferde und Menschen auf der Straße. Da endlich! Ein Reiter biegt in das Rondell vor dem Haus ein. Friedrich! Sie läuft die Treppe hinunter ihm entgegen. Sein Gesicht ist blaß und abgespannt. Ein Ärmel seiner Uniform ist zerrissen. Er wehrt müde ihre Begrüßung ab: «Hast du was zu essen? Ich habe mörderischen Hunger.» Bellotte aber springt jaulend an ihr hoch. Sie beugt sich nieder, um das Tier zu streicheln. Der Hund winselt leise.

«Vorsichtig, sie hat was abgekriegt», erklärt Seebach.

«Den Kindern geht's gut?» fragt er, als sie die gewundene Treppe hinaufgehen. Nachdem er sich flüchtig im Zimmer umgesehen hat, läßt er sich müde in einen Sessel fallen. «Also ist nichts weiter passiert? Ich hatte Sorge.» Er klappt eine Scheibe Brot zusammen und steckt sie heißhungrig ganz in den Mund. Dann stürzt er zwei Tassen von dem heißen Teepunsch hinunter. Und während er gierig weiterißt, beginnt er langsam zu erzählen. Er berichtet, wie er mit dem Herzog, dem Geismar und dessen Kosakentrupp zum Webicht geritten sei, um mit Platow, der dort biwakierte, die nächsten Operationen zu beraten. Die Österreicher unter Bubna und die Preußen stießen von Süßenborn her zu ihnen. Da sprengte ein Kurier mit der Nachricht heran, die Vorhut der Franzosen sei bereits am Jakobstor. Geismars Trupp jagte daraufhin eilig in die Stadt zurück. Die Lage war bedrohlich, die Hauptarmee des Feindes von Ramsla her im Anmarsch! Es hieß, Napoleon selber führe sie an und er wolle Weimar an allen vier Ecken anzünden, um die Verfolgung zu erschweren. In der Gerbergasse und den ganzen Graben hinauf war es zwischen der französischen Vorhut und dem Geismar inzwischen zum Gefecht gekommen. Aber die Franzosen waren in der Überzahl, und die Kosaken mußten sich auf die Altenburg zurückziehen, wo sie vom Westen, von der Ochsenwiese her, beschossen wurden.

«Das hat die Altenburg ja erlebt», sagt Seebach und sieht sich vielsagend in dem beschädigten Raum um. «Aber das andere, das hat sie Gott sei Dank nicht miterlebt! Ich sagte mir nämlich, wenn ich unsere Kerls jetzt hinten um unser Grundstück herumführe und wir durch die Furt der Ilm bei Prellers Garten den Krummen Weg erreichen, dann müßte es gelingen, der anrückenden glorreichen Armee auf der Buttelstedter Straße direkt in die Flanke zu fallen, und dann wäre Weimar gerettet — Weimar und die Altenburg! Der Herzog und der Platow waren ganz begeistert von meinem Plan. Und da sind wir also, der Bubna, der Platow und ich voran, hinter der Altenburg entlanggeritten. Wir waren etwa viertausend Mann Kavallerie; rechts im Flügel die Österreicher, links die Preußen, die Kosaken in der Mitte. Da rechts unten» — er deutet mit der Hand nach Nordwesten — «durch die Ilm hindurch und jenseits den Hang zum Krummen Weg hinauf. Wie wir drei eben mit den Köpfen über die Böschung gucken können, kommen in etwa fünfhundert Meter Entfernung vom Norden her seelenruhig die Franzosen an! Da haben der Hetman und ich laut losgebrüllt! Er hat seinen Säbel geschwungen und ich meine Lederpeitsche, und so haben wir das Zeichen zum Angriff gegeben. Und mit Karacho alle — die roten Husaren, die braunen Husaren und die Kosaken — auf die Franzosen los! Ich springe auf Roy gleich über den Vordersten weg mitten in die Truppe hinein, reiße ein paar der Kerls um und schwinge meine Peitsche über ihren Köpfen. Eine Waffe

hatte ich ja nicht. Da hebt einer neben mir seinen Gewehr-
kolben und holt nach mir aus. Aber meine Bellotte wie ein
Teufel dem Kerl an die Kehle, daß er fällt und sich beide
auf der Erde wälzen. Da kamen auch die andern schon zur
Hilfe. Die Franzosen waren nach der ersten Schreckminute
in völliger Verwirrung. Wie die Hasen sind sie gelaufen.
Nach Erfurt zu — und wir immer hinterher. Sie sind nicht
wieder zum Halten gekommen! Sie laufen wohl noch
immer», schließt er lachend seinen Bericht und nimmt einen
tüchtigen Schluck Arrakpunsch.

«Der Geismar ist verwundet worden bei dem Gefecht in
der Stadt; na ja, und ich — du weißt ja, daß ich nicht mehr
viel aushalte. So sind er und ich eben in die Stadt zurückgekehrt und haben dort Rapport erstattet, und der Bürger-
meister hat uns als den ‹Errettern der Stadt› vorhin feierlich
auf dem Markt gedankt.»

«Bellotte hätten sie eigentlich auch feiern müssen. — Da,
Bellotte», sagt Henriette, nimmt ein ganzes Stück Schinken
und wirft es dem Tier zu.

«Meine sparsame Henriette wird verschwenderisch», stellt
der Oberst lachend fest.

«Nun ja, sie hat mir doch heute den größten Dienst erwiesen, nicht wahr?»

«So? Hat sie?» er greift nach ihrer Hand und drückt einen
Augenblick lang sein Gesicht hinein. Sie streicht mit der
andern über sein graues drahtiges Haar und über den zer-
fetzten Ärmel der Uniform.

«Nun komm, hier könnt ihr heute nacht nicht bleiben. Ihr
müßt zur Sicherheit für ein paar Tage ins Schloß hinunter,
Herders und Schillers sind schon dort. Ihr holt euch ja hier
den Tod! Es ist eine horrende Kälte. Wir brauchen auch
Platz für Einquartierung. Komm, ich nehme den Jungen,
und du weckst die Mädchen.»

Die ganze Altenburg ist besetzt von russischen Truppen. Im Waldgarten, im Parterre, in den Ställen, im Hof, überall lagern die fremdartig anmutenden Männer — Baschkiren und Kosaken — mit Pelzmützen und in Schafpelzen, jeder in der Nähe seines Pferdes.

Ringsum brennen am Morgen die Feuer, auf denen die Soldaten ihre Suppe kochen. Der Herr der Altenburg geht von Gruppe zu Gruppe, betrachtet die malerischen Gestalten auf seinem Grundstück und versucht, sich mit ihnen zu unterhalten. Ihn interessieren vor allem die Pferde. Er streichelt die weichen Mäuler und das struppige Fell und lacht, als ein Tier sich aus der Manteltasche eines vor ihm stehenden Soldaten einen Kanten Brot zieht. Der Mann, der gerade an einem Hering kaut, lacht auch, wendet sich kaum um nach dem Dieb, sondern hebt nur die Hand mit dem Rest Fisch nach hinten, und das Pferdemaul nimmt auch diesen.

Der Oberst will hinunter ins Schloß. Er überquert die Chaussee und steigt den Hang hinab. An dem Franzosengrab hat sich eine russische Batterie eingegraben. Ein uralter Kosak mit langem gelbweißem Bart und strähnigem weißem Haupthaar, unförmig vermummt in dickem Pelz, steht neben dem Geschütz. Er sieht auf die Stadt und singt halblaut in den Nebel hinein. Er verbeugt sich tief, als der Offizier bei ihm stehenbleibt, greift nach dem Saum des Mantels und küßt ihn.

«Du von wo?» fragt Oberst von Seebach, reicht ihm eine Zigarre und macht verdeutlichende Handbewegungen.

«Kosak vom Don.»

Kleine blaue Augen blicken hintergründig aus dem verwitterten Gesicht. Es ist, als stünde das ganze weite Rußland hinter dieser Gestalt.

«Franzos verbrenn Moskwa. Kosak marschier Paris, verbrenn Paris», stammelt der Alte. Er faßt in seinen Pelz, zieht mit geheimnisvoller Miene eine abgegriffene Lederhülle hervor und holt mit plumper Hand einen billigen Farbdruck heraus. Darauf sind Napoleon und seine Brüder in russischen Uniformen dargestellt; darunter stehen neben den andern die Namen Bonapart und Jeremias Napoleon. Der Alte deutet mit dem Finger auf die zwei bunten Figuren. «Ich sie nun kennen. Sie müssen sterben» — er schlägt ein Kreuz über Stirn, Mund und Brust —, «dann ich . . .» Er macht eine Handbewegung ins Ungewisse.

«Hier liegen auch tote Franzosen», sagt der Oberst und zeigt auf den Hügel neben sich.

«Was tot? Offiziers?» fragt der Alte.

Oberst von Seebach schüttelt den Kopf. «Wohl nur einfache Soldaten.»

«Soldat nix bös», murmelt der Alte und bekreuzigt sich aufs neue. «Napoleon müssen sterben. Er Moskwa verbrenn. Wir verbrenn Paris.» Und ein leidenschaftliches Feuer blitzt aus den Augen des russischen Bauern.

Oberst von Seebach sieht ihn an und nickt ein paarmal; dann hebt er die Lederpeitsche grüßend an seine Mütze und steigt zur Brücke hinunter.

«Verbrenn Paris!» wiederholt er nachdenklich. «Siebzehnhundertzweiundneunzig, da hungerte ich mit Goethe und dem Herzog in der Champagne auf dem Weg nach Paris. Achtzehnhundertsechs, da wälzte sich das Chaos der Preußen und Franzosen die Altenburg hinunter. Und nun, nach sieben Jahren, fast genau auf den Tag, haben wir sie endlich geschlagen und jagen sie zurück nach Paris. Kurios! Rußland, die Altenburg und Paris . . .»

Der Forstmeister Louis von Seebach, Friedrichs Bruder, hat dann wirklich die Freiwilligen von Weimar angeführt, tief nach Frankreich hinein, wie er es sich bei der Einweihungsfeier des Hauses 1811 gewünscht hatte. Und am 31. März 1814 dröhnen die Glocken aus der Stadt zur Altenburg hinauf:

Die Verbündeten sind in Paris eingezogen! Die deutschen Länder sind wieder frei! Weimar feiert mit Glockengeläut, Böllerschüssen und Umzügen das große Ereignis.

Herr von Seebach geht mit Henriette am Arm durch sein Grundstück. Die Sonne scheint, der winterliche Rasen fängt an, grün zu werden. Überall blühen Gänseblümchen, Löwenzahn und Scharbockskraut, weiß und golden. Die Fichten setzen hellgrüne Triebe an. Die Meisen rufen. Er geht mit Henriette von Baum zu Baum und atmet tief die Frühlingsluft ein.

«Jetzt kann es weitergehen mit dem Bauen und Pflanzen, Henriette. Jetzt ist Ruhe. Zuerst nun die Hecke um das ganze Gelände. Ringsherum Kornelkirschen. Im ersten Frühling werden sie goldgelb blühen! Und unten, zur Abgrenzung gegen Brücke und Mühle, eine Mauer mit vorkragenden Steinen, auf denen deine bunten Blumentöpfe stehen können!» Dann führt er sie über die Chaussee hinüber. «Hier und jenseits ein eisernes Pförtchen als Abschluß gegen die Straße, was meinst du?» Am Franzosengrab bleiben sie stehen. «Ich liebe diesen Berg, Henriette», sagt Seebach. «Vom ersten Augenblick an, wo ich ihn so einsam und kahl über der Stadt liegen sah, habe ich ihn geliebt. Was hat sich schon alles hier oben begeben!» Und nach einer Weile fährt er fort: «Das Grab sollte man markieren. Findest du nicht?»

Am Sonntag, dem 6. November 1814, beschließt Goethe, einige Visiten zu machen: Er will zu Bertuch, zu Seebach und zu Hofrat Meyer. Vor vierzehn Tagen ist er von einer Reise an den Rhein und den Main zurückgekehrt. Über ein Vierteljahr lang war er fort von Weimar. Neubelebt und aufgeschlossen, in neuer Lebensphase, wendet er sich nun wieder dem alten Kreise zu.

Der Wagen fährt von Bertuchs Haus aus über den

Schweinemarkt, den Graben hinunter, durch die Gerbergasse, an der Burgmühle vorbei über die Kegelbrücke die Jenaer Chaussee hinauf. Jetzt biegt er durch die neugepflanzte Kornelkirschenhecke in den Seitenweg ein, umfährt das Rasenrondell und hält vor der Eingangspforte mit den Reliefpilastern. Goethe steigt aus, er wendet sich der Stadt zu und bleibt einen Augenblick schauend stehen. Dann steigt er die fünf flachen Steinstufen empor. Ein Diener nimmt Hut und Überrock in Empfang und geleitet Seine Exzellenz nach oben. Goethe durchschreitet das geräumige Vestibül und steigt langsam die einundzwanzig Stufen der breiten gewundenen Treppe empor. Er wird in den Saal geführt, nimmt auf dem Sofa mit den goldenen Fackeln an der Lehne Platz und wartet, bis der Diener ihn angemeldet hat. Durch das dreigegliederte Mittelfenster sieht er hinaus in das durchlichtete Grau des Novemberhimmels.

Die Tür zur Linken öffnet sich, die Obristin tritt ein. Sie trägt ein kaffeebraunes Wollkleid mit cremefarbenem gefälteltem Batisteinsatz, der mit einer Krause den Hals umschließt. Goethe kann die zarte, anmutige Frau gut leiden. Hinter ihr der Oberstallmeister, mehr als einen Kopf größer, im hochgeschlossenen grünen, uniformähnlichen Frack. Der Besucher wird mit Herzlichkeit und Freude begrüßt. Er erzählt vom heilsamen Wiesbadener Wasser, von dem köstlichen «Elfer», der unter dem Licht des Kometen vor drei Jahren besonders edel gereift ist, von neuen mineralogischen Erwerbungen, von der botanischen Merkwürdigkeit des Gingkobaums, von den Freudenfeuern auf den Bergen am Main zur Feier der Wiederkehr des 18. Oktober 1813. Weite, tiefe, neue Welt hat sich ihm aufgetan, und er berichtet ungewohnt lebhaft und teilt sich mit. Nur das Eigentliche verschweigt er, das große Erlebnis, das Wunder, die neue Liebe, die ihm widerfahren ist. Goethe seinerseits läßt sich dann erzählen von dem Gesundheitszustand der Familie und von den neuesten Anlagen auf dem Gelände. Er lobt die neugepflanzte Hecke und das Wachstum der Fichten.

Die plaudernden Stimmen füllen den Saal: die sonore, modulationsreiche Goethes, die ein wenig heisere Kommandostimme Seebachs und die leise, weiche Henriettes. Dann erhebt sich der Besuch, wünscht weiteres gutes Zusammenleben und verabschiedet sich. Begleitet von Seebach, geht er die einundzwanzig Stufen hinab, läßt sich in den Mantel helfen, verweilt wieder einen Augenblick auf der obersten Steinstufe, um noch einmal zur Stadt mit den drei Türmen hinunterzuschauen. Er steigt in den Wagen. «Nun zu Hofrat Meyer», sagt er zu dem Kutscher. Noch ein Verneigen zu dem Haus und dem Hausherrn hin, die Pferde ziehen an, und der Wagen rollt um das Rondell und durch die Hecke die Jenaer Chaussee abwärts.

Goethe ist erfüllt von der neuentdeckten Dichtung des Fernen Ostens und von den beglückenden Erlebnissen seiner Reise. Der Fünfundsechzigjährige schreibt Gedicht um Gedicht: die weltumfassende Symphonie des «Westöstlichen Divans» entsteht. Gerade in diesen Tagen ist er dem Mysterium der Schöpferkraft auf der Spur: Ein Hymnus auf den Dichter soll Form gewinnen. Er wartet soeben nur noch auf die Antwort der Fachgelehrten, auf welcher Silbe der Name des persischen Dichters Hafis zu betonen sei.

Der Wagen fährt über den sich abwärts neigenden Hügel der Altenburg mitten hinein in silbriges Grau. Himmel und Erde fügen sich seltsam zusammen, die Grenzen verwischen, und ein Vers klingt in ihm auf:

Daß du nicht enden kannst, das macht dich groß ...

Aber schon ist er an der Kegeltorwache, und die Stimmung ist ihm wieder zerflattert.

Bei Hofrat Meyer angekommen, berichtet Goethe von dem Besuch bei Seebach. Das Haus auf der Altenburg, in der Einöde über der Stadt, ist noch immer seiner Beachtung wert. «Erstaunliche Tatkraft hat er», stimmt der sanfte Schweizer nachdenklich in seinem kehligen Dialekt zu, «und ein guter Pferdekenner ist er wohl auch; aber vor seinem Sarkasmus und seiner Derbheit ist einem immer ein bißchen bange!» Er lacht leise.

«Nun ja», gibt Goethe zu, «ein Höfling ist er nicht. Als wir einmal vor zwanzig Jahren in Wilhelmstal waren und die ganze Gesellschaft Plumpsack spielte, da ist mir unvergeßlich, wie der Herzog selber mit verbundenen Augen in der Mitte des Kreises stand. Die wohlerzogenen Kavaliere und Hofdamen zauderten, den durchlauchtigsten Rücken mit ihren geknoteten Schnupftüchern zu bearbeiten. Da sprang Seebach herbei und rief: ‹Schlagt zu, so gut wird es Euch nicht leicht wieder, unsern Fürsten und Herrn prügeln zu dürfen!› — Ganz sublim und grandios», schließt Goethe seinen Bericht.

Meyer sieht nachdenklich fragend auf: Sublim und grandios?

Am 15. Mai 1817 erbittet und erhält der Oberstallmeister von Seebach — er ist inzwischen zum Generalmajor befördert worden — aus der Hofkasse zweitausend Taler Vorschuß, um weiterbauen und sich vollständiger einrichten zu können.

Die neuen Baurisse werden angefertigt. Links vom Wohnhaus, nach Nordwesten zu, soll um einen Hof herum ein Viereck von Wirtschaftsgebäuden entstehen: eine Scheune mit gebuckeltem Schieferdach, zur Straße hin eine Waschküche und Wohnungen für die Dienerschaft, nach hinten der Speicher mit einem Flaschenzug für die Heu- und Hafersäcke.

Hinter der weiten Rasenfläche mit den Fichten im Garten

wachsen nun Laubbäume, junge Linden vor allem. Sie schließen vor der steil ansteigenden dritten Terrasse einen ovalen Platz ein, einen heimlichen, in diesem Terrain ganz unerwarteten Ruheplatz.

Die Baugrube wird ausgehoben, Steine, Sand, Balken werden angefahren. Herr von Seebach bezahlt doppelten Vorspann, damit sich die Pferde die steile Altenburg hinauf nicht so schinden müssen. Die Mauern wachsen schnell empor. Das Anwesen auf der Altenburg ist stattlich erweitert, da geschieht etwas gänzlich Unerwartetes.

Am 26. November 1817 berichtet Charlotte von Schiller ihrer Schwester Karoline von Wolzogen nach Rudolstadt: «Die gute Henriette Seebach ist beinahe an derselben Krankheit wie Schiller gestorben. Den 15. sah ich sie noch im Theater, und sie war den ganzen Tag sehr heiter, klagte aber dabei über heftigen Schmerz in der Seite. Die Nacht darauf bekam sie ein heftiges Fieber, und so wechselte der Zustand ab bis gestern nacht auf den elften Tag hin, da rührte sie der Schlag (ein Nervenschlag, sagt man). Die arme Seele tut mir recht weh, sie hatte ihre Kinder so lieb! Und der Mann liebte sie so. Die arme kleine Helena und der arme kleine Sohn werden der Mutter Liebe und Pflege schwer vermissen. Ihre Schwester, die Ziegesar, war zwei Tage bei ihr und hielt sie für besser. Seebach begleitete die Schwägerin nach Jena zurück, um einmal an die Luft zu kommen (er hat sie mit aller Treue und Sorgfalt gepflegt), währenddem wurde sie schlimmer; als er wiederkam, nach ein paar Stunden, war es vorbei.»

Die Kornelkirschenhecke hatte im Frühling zum erstenmal geblüht; ihre dunkelroten länglichen Früchte sind im Herbst überreif auf die Gartenwege und auf die Chaussee gefallen und haben die Wege rot gefleckt. Nun steht die Hecke kahl im Novemberregen, und ein Sarg wird langsam den Berg hinabgefahren.

Henriette Sophie Wilhelmine von Seebach, geborene von Stein-Northeim, ist im Alter von vierundvierzig Jahren gestorben. Sechs kurze Jahre hat sie das Haus auf der Altenburg mit ihrer Wärme und mit ihrer Sanftmut erfüllt.

Die Altenburg trauert. Aber auch in den Weimarer Kreis ist plötzlich eine empfindliche Lücke gerissen worden: Charlotte von Schiller trauert. Frau von Stein trauert. Die Herzogin Luise trauert.

Auch Goethe nimmt teil an dem Hingang der anmutigen Frau, der er bei Hoffesten und in kleinem Kreise bei sich und im Salon der Frau von Stein oftmals begegnet ist. Er hat den größten Teil des Jahres in Jena zugebracht und dort Rückschau über sein Leben und sein Werk gehalten. Zu Pfingsten hat er voll mutiger Gelassenheit Fazit gezogen:

> Weite Welt und breites Leben,
> Langer Jahre redlich Streben,
> Stets geforscht und stets gegründet,
> Nie geschlossen, oft geründet,
> Ältestes bewahrt mit Treue,
> Freundlich aufgefaßtes Neue,
> Heitern Sinn und reine Zwecke,
> Nun! man kommt wohl eine Strecke.

Aber nach einem kalten, regnerischen Sommer befindet er sich ziemlich schlecht. Da wirft dieser plötzliche Tod in seinem nahen Bekanntenkreis einen Schatten auch auf seine Seele, und sein Brief vom 28. November nach Hause, in dem er das Ende der Generalin erwähnt, ist ganz auf Krankheit und Tod gestimmt.

Ein dunkler Winter zieht über die Altenburg hin. Nur langsam füllt sich das Haus wieder mit Leben. Die Kinder und der Dienst führen den vereinsamten General allmählich ins gewohnte Dasein zurück.

Als sich Henriettes Todestag zum erstenmal jährt, setzt er ihr auf seinem Berg einen Gedenkstein. Er läßt ein Epitaph aus grauem Sandstein arbeiten, mit schlichten Profilen, in klassischem Maß, wie er sich auch sein Haus gebaut hat. Auf einem hohen Pfeilerrechteck ruht ein rundbogiges Giebelfeld mit zwei verschlungenen Händen im Kreis einer Schlange. Darunter stehen die Worte: «Andenken an Henriette von Seebach, geborene von Stein, von dankbar hinterbliebenen Mann und Kindern. Friedrich von Seebach, Amalie, Helene, Gustav.» Auf der andern Seite des Denkmals verlöscht ein trauernder Genius eine Fackel.

Der Gedenkstein wird jenseits der Chaussee neben dem Hügel des Franzosengrabs aufgestellt. Goldregen und Flieder werden angepflanzt. Friedrich von Seebach überwacht selber die Arbeiten. Täglich geht er, von Bellotte begleitet, durch Nebel und Regen und Kälte hinüber zu dem entlegenen Hang. Ungeahnt ist nun das alte Grab markiert!

Es ist Sonntag, der 13. Dezember 1818, acht Uhr abends, und Amélie kommt zu spät zu Tisch. «Papa, Herr von Goethe läßt Ihnen sagen, Sie möchten doch morgen nachmittag wegen Ihrer Rolle zu ihm kommen. Ich muß am Dienstag wieder hin.»

«Dieser verfluchte Maskenzug», murrt der General von Seebach. «Ich habe nichts dagegen, daß man den Besuch der Zarin feiert, es ist ja ein Ereignis für unser kleines Land, und meinetwegen kann Herr von Goethe so viel Maskenzüge dazu dichten, wie er will, nur mich soll er dabei aus dem Spiel lassen. Ich bin ein alter Mann.»

«Aber den sollen Sie ja auch spielen, Papa!»

«Sei nicht so vorlaut», weist Herr von Seebach die kecke Tochter zurecht.

«Ach, Papa», versucht Amélie ihr Heil aufs neue, «Sie haben doch gar nichts dabei zu sagen, ich sage ja alles.»

«Ja, das weiß der Himmel, daß ich nichts zu sagen habe. Hier! Das ist wahr!» Er blättert ärgerlich das Rollenheft auf, das Amélie mitgebracht hat. «Hier, so ist es:

> Sogar in seinen eignen Hallen
> Verkündet man ihm fremde Pflicht.
> Man sucht nicht mehr, ihm zu gefallen,
> Wo er befiehlt, gehorcht man nicht.

Das paßt!»

«Ja», sagt Amélie schelmisch, «und das hier, das paßt auch», und sie deutet mit dem Zeigefinger auf die nächsten Zeilen:

> «Doch seine Tochter hält ihn fest,
> Versteht ihn lieblich zu erfreuen ...»

Sie blickt ihn von der Seite an und legt den Arm um ihn.

«Laß mich in Ruh», sagt er und ist doch freundlicher gestimmt. «Äon und Äonis — das Gegenwärt'ge kommt in doppelter Gestalt — Alt und Jung», liest er vor. «Da werd ich eine schöne Figur machen.»

«Das werden Sie auch, Papa, Sie sind ganz bestimmt die allerschönste und allereindrucksvollste Gestalt! Gleich nach dem Prolog kommen wir beide: Sie in einem langfließenden grauen Gewand und einfach so mit Ihrem naturgrauen Haar und dem markanten Gesicht.»

«Ach, Kind, wenn du wüßtest, wie zuwider mir das alles ist!» murrt Seebach und blättert in dem Heft, während Amélie sich ein paar Brote auf den Teller legt. «Ein Zug deutscher Dichtung», liest er nachdenklich, «eigentlich eine ganz hübsche Idee von dem Goethe als Huldigung für die Zarin: Oberon, der Cid, Tell, Wallenstein, Faust! — Wieland, Herder, Schiller, Goethe — Weimar kann sich weiß Gott sehen lassen!»

«Ja, und sie spielen alle mit! August von Goethe als Mephistopheles, Ottilie als Nacht und Karoline von Niebecker als Palmira. Es wird herrlich werden! Am Freitag abend um acht Uhr! Und danach großer Ball! Wie reizend der alte Herr von Goethe beim Einstudieren ist, das können Sie sich gar nicht vorstellen. Und hinterher sind wir immer noch bei Ottilie oben in der Mansarde vergnügt», plaudert Amélie weiter.

Herr von Seebach hat nur halb zugehört. Er liest im «Maskenzug».

«Das hier ist wirklich schön gesagt», meint er.

> «Weltverwirrung zu betrachten,
> Herzenswirrung zu beachten,
> Dazu war der Freund berufen,
> Schaute von den vielen Stufen
> Unsres Pyramidenlebens
> Viel umher und nicht vergebens:
> Denn von außen und von innen
> Ist gar manches zu gewinnen.

Wer sagt denn das?» Er blättert zurück. «Die Ilme! Die Ilme — verrückt!» Er lacht sarkastisch. «Häng einfach ein e an, dann bist du ein Dichter! Die Ilme, die Zeite, die Uhre. Schau nach der Uhŕe, es ist Zeite, die Nachte zieht herauf. Sieh, ich mache auch Gedichte!»

«Gute Nachte, Papa», sagt Amélie lachend. In der Tür wendet sie sich noch einmal um: «Sie hatten mir doch einen Hausball versprochen, nicht wahr? Am dritten Januar — wenn Sie erlauben? Ich habe August und Ottilie schon eingeladen und auch Karoline von Niebecker. Sie wollen alle kommen, auch Herr von Groß. Der spielt einen Kroaten in ‹Wallensteins Lager› — einfach wunderbar, sage ich Ihnen — wunderbar!»

Drei Jahre später, am 10. Oktober 1821, kann man unten von der Kegeltorwache, der Vorwerksgasse und der Gerbergasse aus das Haus auf der Altenburg strahlend erleuchtet sehen; alle neun Fenster im ersten Stock schimmern in die Nacht hinaus. Walzerklänge tönen nach draußen, und auf den hellen, zugezogenen Vorhängen bewegen sich die Schatten tanzender Paare. Amélie von Seebach heiratet heute den Steuerrat Freiherrn Albert von Groß, den Freund August von Goethes. August und Ottilie sind natürlich geladen. Die nun siebzehnjährige Helene tanzt besonders viel mit dem jungen Herrn von Rott. Und selbst Herr von Seebach tanzt heute, vor allem mit Karoline von Niebecker, der Freundin seiner Tochter.

Im nächsten Sommer setzt der General von Seebach wieder einen Denkstein. Die alte treue Bellotte ist tot. Seit zwei Jahren schon war sie blind und taub und genoß das Gnadenbrot. Seebach versäumte es nie, ihr zärtlich den Kopf zu streicheln oder ihre Flanke zu klopfen. Als im März die erste wärmende Sonne schien, hatte sich das alte Tier auf die Straße geschleppt und war dort von einem Bauernwagen überfahren worden. Bei der Einweihung des Hauses im Jahre 1811 hatte der Herzog seinem Stallmeister die junge Hündin geschenkt; 1813 hatte sie ihm das Leben gerettet; auf zahllosen Jagden und Ausfahrten war sie seine Begleiterin gewesen. Wenn Karl Augusts Kammerdiener Hecker mit einem der plötzlichen Aufträge des Serenissimus die Altenburg heraufkam, hatte sie ihm durch ihre immer freudige Bereitschaft jeden noch so unwillkommenen Dienst erleichtert. Nun ist der treue Gefährte tot. Seebach ist zumute, als hätte er einen Freund verloren. Er läßt einen roten Sandsteinwürfel hauen, sechzig Zoll breit, sechzig Zoll tief und siebzig Zoll hoch, und auf jede Seite eine Inschrift einmeißeln. «Hier ruht Bellotte» steht vorn, «Sie war ihrem ersten und letzten Herrn treu» auf der Rückseite; rechts: «Sie rettete ein Menschenleben» und links die Jahreszahlen

«1808—1822». Der rote Quader zu Ehren Bellottes steht inmitten des Wirtschaftshofes der Altenburg zu Füßen einer Fichte.

Im gleichen Sommer spielt die Altenburg auch in Goethes Dasein wiederum eine Rolle. Die Nachbarn im Osten seines Hausgartens an der Ackerwand stören ihm Ruhe und Einsamkeit. «Um den bisher verkümmerten Genuß unsres Hausgartens wieder zu gewinnen, dächt ich, mein guter Sohn, verführen wir folgendermaßen», so schreibt er aus Jena am 2. Juni 1822 an August. Ihm war eingefallen, wie Seebach auf der Altenburg sein Grundstück gegen Brücke, Burgmühle und Straße abgegrenzt hatte. Er hatte eine Mauer gesetzt, sie mit vorragenden Steinen abgeschlossen und mit Platten für blühende Blumentöpfe bestückt. Es war dies Schutz und Schmuck zugleich, und Goethe empfiehlt dem Sohn, es nun bei sich an der Ackerwand ebenso zu versuchen.

Am 13. April 1823 besucht die junge Frau Amélie von Groß ihren Vater und die Geschwister in der Altenburg. Sie wohnt nun unten in der Seifengasse, gleich neben Frau von Stein. Sie strahlt vor Glück: ihre ersten schriftstellerischen Arbeiten beginnen zu erscheinen, und ihr Söhnchen Rudolf gedeiht prächtig.

«Heute bringe ich Ihnen endlich Ihr literarisches Denkmal mit, Papa. Voriges Jahr zu Ostern ist es auf der Leipziger Messe erschienen, und Sie besitzen es immer noch nicht!»

«Nun ja», wehrt Seebach ab, «ich kenne es ja, ich habe schließlich alles miterlebt, und Goethe hat mir voriges Jahr davon berichtet. Das genügt mir.»

Ja, Goethe, unaufhaltsam vorschreitend in seiner Sicht auf Natur- und Menschenschicksal, ist sich bewußt, an wie vielen chaotischen, umwälzenden Zeitereignissen er teilgenommen hat, und bemüht sich, dies für sich und für die Nachwelt darzustellen. Amélie hat gerade Goethes «Campagne in Frankreich» in der Hand. Sie blättert in dem Heft. «Hier», ruft sie, «der Papa rettet den Landesvater, den großen Dichter Goethe und eine Unmenge Sachsen-Weimaraner vorm schnöden Hungertod! So geschehen am siebenundzwanzigsten September siebzehnhundertzweiundneunzig in der Campagne in Frankreich und von Goethe so beschrieben. Hören Sie nur: ‹Es herrschte eine allgemeine große Hungersnot. Unserer nächsten Umgebung war jedoch eine Beihilfe zugedacht. Man sah in der Ferne zwei Wagen festgefahren, denen man, weil sie Proviant und andere Bedürfnisse geladen hatten, gerne zu Hilfe kam. Stallmeister von Seebach schickte sogleich Pferde dorthin; man brachte sie los, führte sie aber auch sogleich des Herzogs Regiment zu; sie protestierten dagegen, als zur österreichischen Armee bestimmt, wohin auch wirklich ihre Pässe lauteten. Allein man hatte sich einmal ihrer angenommen; um den Zudrang zu verhüten und sie zugleich festzuhalten, gab man ihnen Wache, und da sie auch von uns bezahlt erhielten, was sie forderten, so mußten sie auch bei uns ihre eigentliche Bestimmung erhalten.›» Amélie blickt stolz und liebevoll auf den Vater.

«Und dann müßte Goethe auch mal schildern», fährt nun Helenchen fort, «wie der Papa achtzehnhundertdreizehn die Verbündeten um die Altenburg herumgeführt und die Stadt auf diese Weise vor den Franzosen und neuer Plünderung gerettet hat!»

«Nun gebt euch endlich zufrieden mit euerm verehrten Papa», knurrt General von Seebach. «Wenn der Herr von Goethe etwas von sich und mir aus dem Jahr achtzehnhundertdreizehn berichten will, dann soll er schildern, wie am zweiten September, als wir von Ilmenau zurückfuhren und ich besonders schnell heim wollte, weil Gustav gerade geboren war, wie da vor Berka der Wagen brach und Seine Exzellenz der Herr Staatsminister von Goethe und euer verehrter Papa im Schweiße ihres Angesichts in glühender Sonne bis Gelmeroda marschierten, wo der inzwischen reparierte Wagen sie endlich wieder einholte!»

«Und wie ist das ausgegangen?» fragt Gustav gespannt.

«Wie soll es denn ausgegangen sein? Wir waren beide todmüde und hungrig, und da bin ich bei Goethes zum Essen geblieben, ehe ich auf meine Altenburg geklettert bin.»

«Jedenfalls», so schließt Amélie das Gespräch, indem sie die «Campagne in Frankreich» auf den alten polierten ovalen Tisch legt, «muß dieses Buch einen Ehrenplatz in der Altenburg bekommen!»

«Ach», erwidert der General, «wenn ich erst mein Buch über Stallanlagen und Pferdezucht geschrieben habe, dann wird das einen Ehrenplatz in der Altenburg erhalten, denn es hat einen wirklichen Zweck und Nutzen für viele Generationen von armen Tieren!»

Die drei Kinder lächeln.

«Hier habe ich euch übrigens noch etwas Hübsches mitgebracht», sagt Amélie dann, «die neueste Komposition unsres Kapellmeisters Hummel! Vorige Woche habe ich ihn wieder mal bei Goethes gehört. Wenn er am Flügel so ins Phantasieren kommt — einfach wundervoll! Der dicke, blatternarbige Mensch ist dann ganz verändert. Hier, hört mal!» Sie nimmt das Notenheft, das sie mitgebracht hat, schlägt das Spinett auf und spielt ein Walzermotiv. «Das ist erst mal Diabellis Thema», erklärt sie. «Und, weil es so hübsch ist, haben viele berühmte Musiker Variationen darüber geschrieben: Czerny und Schubert, und das hier, das ist Hummel!» Sie spielt. «Ist es nicht entzückend? Und dann hier!» Sie schlägt wieder ein paar Takte an. «Nummer vierundzwanzig, von Franz Liszt, Knabe von elf Jahren, geboren in Ungarn», liest sie. «Das ist im vorigen Herbst erschienen,

da war er etwa so alt wie du jetzt, Gustav. Hört noch mal!»
Und zum zweitenmal erklingen die anmutigen Töne der
kindlichen Variation Liszts in der Altenburg.

Zur gleichen Stunde neigt sich in einem Festsaal Wiens
vor einem jubelnden Publikum der majestätische Kopf
Beethovens, um bewegt das Wunderkind Franz Liszt nach
seinem ersten Konzert zu küssen.

Ein Jahr später spielt der Zwölfjährige in der Pariser Oper
den Klavierpart eines Konzerts von Hummel. Er bringt eine
lange schwierige Kadenz des Stücks mit solcher Bravour zu
Gehör, daß die lauschenden Musiker darüber ihren Einsatz
vergessen. Das Publikum jubelt.

An einem Sonntagabend — es ist der 2. Mai 1824 — macht
Goethe mit Eckermann eine Spazierfahrt. Sie fahren, wie
so oft, die Belvederer Allee hinaus nach Oberweimar, über
die Hochebene nach Osten dem Webicht zu, den geliebten
Weg um das Webicht herum und über die Altenburg heim.

«Die Bäume blühten, die Birken waren schon belaubt und
die Wiesen durchaus ein grüner Teppich, über welche die
sinkende Sonne herstreifte», so berichtet Eckermann darüber. Als es dann kühl geworden war, fuhr man schnell die
Jenaer Chaussee zur Stadt zurück, «wo wir die untergehende
Sonne im Anblick hatten. Goethe war eine Weile in Gedanken verloren, dann sprach er zu mir die Worte eines
Alten: ‹Untergehend sogar ist's immer dieselbige Sonne. —
Wenn einer fünfundsiebzig Jahre alt ist›, fuhr er darauf mit
großer Heiterkeit fort, ‹kann es nicht fehlen, daß er mitunter
an den Tod denke. Mich läßt dieser Gedanke in völliger
Ruhe, denn ich habe die feste Überzeugung, daß unser Geist
ein Wesen ist ganz unzerstörbarer Natur. Es ist ein Fort-
wirkendes von Ewigkeit zu Ewigkeit. Es ist der Sonne
ähnlich, die bloß unsern irdischen Augen unterzugehen
scheint, die aber eigentlich nie untergeht, sondern unauf-

hörlich fortleuchtet.› Die Sonne war indes hinter dem Ettersberge hinabgegangen», schließt Eckermann seinen Bericht. Der Wagen fuhr rasch durchs Kegeltor in die Stadt hinein. Es ist in der Höhe der Altenburg gewesen, von wo aus Goethe den feuerroten Ball der Sonne vor sich herabsinken sah.

Der General von Seebach ist nun neunundfünfzig Jahre alt. Er sieht noch gut aus mit seiner hohen, hageren Gestalt und dem markanten Gesicht. Aber seit der Verwundung 1798 ist er nie wieder richtig gesund gewesen, und das Alter macht sich nun auch bemerkbar. Helene wird bald heiraten, Gustav ist beim Militär. Die Altenburg ist ohne Wärme seit Henriettes Tod. Man ist sehr allein und wird bald noch mehr allein sein. Wäre es nicht gut, noch einmal zu heiraten? Henriette wäre die erste, die es verstünde.

Am 26. Juni des Jahres 1827 — diesmal sehr erwünscht — besucht Henriettes Schwester, Frau von Mellish, aus England mit ihren beiden Töchtern die Altenburg, die Schwägerin Luise von Ziegesar aus Jena kommt auch herüber — da könnte man der Familie seine Pläne annoncieren.

Der Schwager Seebach ist in den kurzen Tagen dieses Besuchs ungewohnt liebenswürdig: Er müht sich um Konversation und erzählt von seinen Erlebnissen, auf seine trockene Art sich und die Umwelt spöttisch beleuchtend. Das letzte Abenteuer mit Karl August wird besonders belacht: Die beiden sind nach Leipzig gefahren, und Karl August, der an der Stadttorwache inkognito bleiben wollte, gab auf die Frage, wer er sei, zur Antwort: «Der General von Seebach.» — «Und Sie?» fragte die Wache nun den General von Seebach, und der hat geantwortet: «Der Großherzog von Sachsen-Weimar.»

Seebach begleitet wider seine Gewohnheit ohne besondere

Aufforderung die Damen überallhin, er geht mit zu Goethe, er lädt die alten Weimarer Freunde seiner Schwägerin ein, die sie noch von der Zeit her kennt, als Mellish Kammerrat in Weimar war und das Haus an der Esplanade bewohnte. 1802 war Mellish dann nach England gegangen und hatte sein Haus an Schiller verkauft.

Es gibt also wieder Geselligkeit oben auf der Altenburg. Ottilie von Goethe vor allem ist fast jeden Tag zu Gast. Manchmal kommen ihre beiden Jungen mit, Walther und Wölfchen; sie sind sieben und neun Jahre alt und beide schüchtern und still. Bisweilen bringt Goethe auch selber die Schwiegertochter auf seiner mittäglichen Spazierfahrt bis ans Haus, fährt weiter nach Tiefurt oder ums Webicht herum und holt sie auf dem Rückweg wieder ab. Dann kommen sämtliche Damen in Seebachs Begleitung mit hinaus an den Wagenschlag, und es ist ein langes Begrüßen und Verabschieden auf dem Platz zwischen der Kornelkirschenhecke und den fünf Steinstufen.

Oftmals ist auch Fräulein von Niebecker mit ihrer Mutter dabei. Denn Karoline von Niebecker soll die zukünftige Generalin von Seebach werden. Sie ist nicht mehr ganz jung, aber hübsch und anschmiegsam. Auf dem Ball nach dem Maskenzug hat Seebach immer wieder mit ihr getanzt, und am 17. November findet die Hochzeit statt.

Aber das Weihnachtsfest verläuft keineswegs so glücklich, wie es sich Friedrich von Seebach gewünscht hat. Die junge Frau kann sich nicht an den so viel älteren wortkargen Gatten gewöhnen. Und im Frühjahr 1828 ist die Altenburg wieder ohne Herrin und Friedrich von Seebach wieder allein. Nun fühlt er, daß er alt ist. Es gibt zwar keine Reibereien, keine Tränen, keine heftigen Worte mehr in der Altenburg, aber es ist mit einemmal wieder sehr still, noch stiller als vorher.

Dann kommt ein schrecklicher Tag.

«Es ist vorbei», flüstert der alte General. Und wieder: «Nun ist alles vorbei.» Er steht im Ecksalon am Fenster vor der dunklen Nacht draußen, hat die Hände auf den ovalen Messinggriff gelegt und stützt seinen Kopf darauf. Es ist der 21. Juni 1828, abends elf Uhr. «Daß Gott erbarm!» Er probiert das ungewohnte Wort, das Karl August eine Viertelstunde vor seinem Tode am 14. Juni ausgerufen hat. Nie zuvor hatte man dergleichen aus seinem Munde gehört.

«So wollen wir hinaufgehen», hat er noch gesagt, ebenso am Fenster stehend wie Seebach jetzt, und ist plötzlich tot umgesunken.

«Daß Gott erbarm!» General von Seebach preßt die Hände über die Augen und schluchzt plötzlich fassungslos vor sich hin. Achtunddreißig Jahre lang persönlichster Dienst, achtunddreißig Jahre lang gemeinsame Abenteuer, Krieg, Reisen, Jagden — achtunddreißig Jahre Kameradschaft! «Henriette», flüstert der einsame Mann in der dunklen Nacht, und Tränen laufen über sein hageres Gesicht.

Ganz unerwartet war Karl August in Graditz bei Torgau gestorben. Der Oberstallmeister von Seebach ist soeben vom Römischen Haus im Park gekommen, wo die Leiche des Großherzogs aufgebahrt liegt und einbalsamiert werden soll. Das war heute der schwerste Dienst! Daß man so etwas übersteht!

Gestern morgen hatte Seebach mit Herrn von Spiegel bei Eckartsberga an der sachsen-weimarischen Grenze den toten Herrn aus der preußischen Begleitung in Empfang genommen. In Roßla sollte die Nacht zugebracht werden. Oberförster hatten dort den Sarg vom Wagen gehoben, in die Kirche getragen und am Altar aufgestellt. Und dann war für ihn das Schlimmste gekommen! Spiegel und er hatten in aller Form die Leiche rekognoszieren müssen. Der Sargdeckel war gehoben worden, sie hatten ihre Ehrenbezeigung gemacht und einen Blick auf das stille, blasse Antlitz des Großherzogs geworfen. Der General sieht noch jetzt dieses Gesicht vor sich, das charaktervolle, ihm so vertraute und nun so fremde Gesicht. Er hatte kaum hinzusehen gewagt, und doch steht es ihm überdeutlich, wie er meint, unauslöschlich vor Augen.

Der Sarg war wieder geschlossen worden, sie hatten abermals salutiert und waren zurückgetreten, und da war Seebach ohnmächtig zusammengebrochen. Die Totenwache in der Kirche hatte dann Lyncker an seiner Statt übernommen, während er in einem Bett des Gasthofs schlaflos nach neuen Kräften und nach Fassung rang. Am nächsten Morgen hatte ihm der Major von Germar auf sein Verlangen hin den Bericht von den letzten Stunden Karl Augusts gegeben, und da hat ihn das ungewohnte Wort «Daß Gott erbarm!» aufs neue fast umgeworfen.

Um fünf Uhr nachmittags haben Jäger den Sarg unter Glockengeläut aus der Kirche getragen und auf den Leichenwagen gehoben. Und dann hat sich der Trauerzug an den Mauern schweigender Menschen vorbei langsam in Bewegung gesetzt.

Voran die Husaren, dann die Jäger, dann das Linienbataillon mit gedämpftem Trommelklang, nun der achtspännige Wagen mit dem Sarg unter dem hohen schwarzen Baldachin. Neben dem Sarg die beiden Leibärzte zu Pferd; dahinter die nun leere Reisekutsche des Fürsten und sein Lieblingspferd in schwarzer Schabracke. Es folgte Seebachs sechsspänniger Wagen, an den sich die Karossen der Minister anschlossen. Die Artillerie bildete den Schluß des Zuges.

Es war schon dämmerig, als man die Altenburg erreichte. Gerade in Höhe des Franzosengrabs und des Denksteins für Henriette hat der Generalmajor von Egloffstein mit seinen Adjutanten den Toten in Empfang genommen.

Die Pechpfannen unten an der Kegelbrücke brannten. Der Zug war über die Ilm gegangen, am Schloß und am Haus der Frau von Stein vorüber, den breiten Parkweg entlang zum Römischen Haus. Als der Sarg an den weißen Säulen vorbei hineingetragen wurde, fing es leise zu regnen an.

Im Regen ist General von Seebach dann, um niemandem zu begegnen, auf dem Umweg übers Horn durchs Schalloch in sein dunkles, einsames Haus auf der Altenburg zurückgegangen. Nun steht er am Fenster und schaut in die dunkle Nacht.

Der junge Großherzog Karl Friedrich hat den unbequemen Alten sogleich aus seinen Diensten entlassen. Bielke ist nun Oberstallmeister. Und bitter erinnert sich der außer Dienst gesetzte Mann an ein Wort aus der Bibel: «Da kam ein neuer Pharao ins Land, der wußte nichts mehr von Joseph und seinen Verdiensten.» Mehr und mehr wird der Vereinsamte nun zum Sonderling; er wird immer barscher, immer sarkastischer und läßt — nun außer Dienst — jede Etikette fallen.

Im Spätsommer dieses Jahres zieht er in das Hintergebäude im Garten der Altenburg. Es grenzt an das Haupthaus und hat über Stallungen und Wagenremisen ein paar Stuben. Die vordere bezieht er. Es ist ein kleiner heller quadratischer Raum, von dem aus man durch eine ähnlich gestaltete Dreiergruppe von Fenstern, wie sie vorn die Mitte des Wohnhauses zeigt, mitten in den ansteigenden Waldgarten hineinschaut. Er läßt zwei Mauerdurchbrüche machen, einen im Haupthaus, einen im Nebenhaus, dazwischen einen Verbindungsgang. So ist er ganz ungestört, und Helene kann doch jederzeit zu ihm und er zu ihr.

Nun gehört er ganz seinem Garten. Er pflanzt an der Hauswand einen Weinstock, und wenn er und Goethe zusammentreffen, so kann Seebach gewiß sein, daß er inter-

Friedrich von Seebach

Weimar, Schillerhaus

Weimar, Goethehaus

Schloß Tiefurt

Großherzogliche Bibliothek zu Weimar

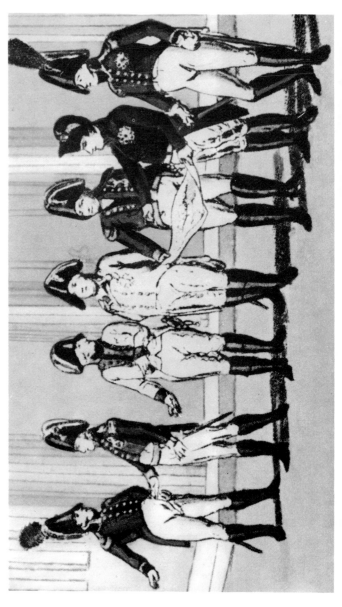

*Napoleon zeigt den Gästen des Erfurter Kongresses
das Schlachtfeld von Jena*

Römisches Haus mit Duxbrücke

Johann Wolfgang Goethe in Hofuniform

essiert danach gefragt wird, wie das Experiment mit dem Weinstock verläuft.

Im Vorderhaus aber entfaltet sich nun wieder junges Leben. Helene von Seebach hat am 30. November 1829 den Steuerrat Anton von Rott geheiratet. Er ist Österreicher; Karl August hat ihn vor Jahren in der Schweiz kennengelernt und nach Weimar gezogen. Er ist frommer Katholik und verlangt von seiner jungen Frau den Übertritt zur katholischen Kirche. Nun hängt im Schlafzimmer neben der Tür ein Weihwasserkesselchen und über den Betten ein Kruzifix. Im nächsten Jahr liegt wieder ein Knabe in der Wiege mit dem Wappenschild der drei Seeblätter: Dietrich von Rott.

Im Saal ist wieder hie und da Geselligkeit. Im Herbst 1831 bringt Ottilie von Goethe einen jungen Göttinger Studenten mit auf die Altenburg. Er hat Goethes Nähe gesucht und lebt einige Zeit in Weimar, ein charmanter, intelligenter Mensch. Er heißt Karl von Beaulieu-Marconnay und wird in späteren Jahren im Hofstaat des sachsen-weimarischen Hauses eine Rolle spielen. In dieser Eigenschaft wird auch er immer wieder als Gast in der Altenburg aus und ein gehen.

Am 26. März 1832, nachmittags um vier Uhr, läutet die große Glocke der Stadtkirche zehn Minuten lang. Um halb fünf läutet es abermals, nun auch von der Jakobskirche, und um fünf Uhr dann läuten alle Glocken der Stadt. Die mächtigen Klänge dringen in das Zimmer im Hinterhaus der Altenburg hinein, wo General von Seebach seinen Kopf in die Hände vergraben hat. Jetzt, weiß er, jetzt bewegt sich der Trauerzug langsam vom Frauenplan zur Kapelle auf dem neuen Gottesacker. Es ist derselbe Leichenwagen, hinter dem er vor vier Jahren hergefahren ist, als er seinen toten Herrn zum letztenmal begleitete. Heute hängt das Goethesche Wappen an den vier Säulen des Baldachins. Der neue

Oberstallmeister tut Dienst, und um privat dem alten Amtsgenossen Goethe die letzte Ehre zu geben, fühlt sich Seebach einfach nicht stark genug.

Den ganzen Tag schon sind die Wagen von Jena her am Hause vorbeigefahren: die Professoren der Universität und über zweihundert Studenten — in tiefem Schweigen, alle mit einer roten Blume in schwarzer Schleife an der Mütze.

Seebach fühlt sich solchen Erschütterungen nicht mehr gewachsen, aber im Geist ist er dabei. Er weiß genau, wie alles vor sich geht. Jetzt verklingt das Glockengeläut, der Zug ist also am Friedhofstor angekommen. Dort empfängt ihn die Kurrende mit dem vorangetragenen Kreuz. Der Zug bewegt sich aufwärts durch die neue Lindenallee. Nun tragen sechzehn junge Künstler den Sarg die Stufen zur Fürstengruft hinauf. Er sieht es deutlich vor sich, wie der Sarg langsam in der Kapellentür verschwindet und wie Goethes ältester Enkel Walther, der dreizehnjährige Knabe, allein, scheu, als erster folgt. Seebach meint die Stimme des Hofpredigers Röhr zu hören, die Zypressen und die welkenden Blumen zu riechen. Wieder einer, denkt er, wieder einer; bald bin ich dran!

Aber Herr von Seebach hat sich geirrt. Er wird noch fünfzehn Jahre lang auf der Altenburg leben. Er ist schwerhörig geworden und hat nur noch Sinn für seine Tiere, für seinen Garten und endlich für ein Buch, das er aus dem Englischen übersetzt und durch eigene Erkenntnisse erweitert, ein Buch über Stallwirtschaft und Pferdezucht. Auf dem Titelblatt sieht er schon jetzt neben dem Namen des Autors Stewart mit Befriedigung seinen eigenen stehen. Meist muß Helene für ihn schreiben.

«Pferde können nur durch gute Stallung in gutem Stand erhalten werden», so diktiert er mit der lauten Stimme des Tauben die eigenen trockenen kurzen Zusätze. «Ställe hat man schon seit Jahrhunderten. Und nach den Erfahrungen so vieler Generationen sollte man sie für vollkommen halten. Sie sind auch jetzt wirklich besser als früher. Aber im allgemeinen dürfen sich die Erbauer von Ställen ihrer Arbeit nur selten rühmen. Sie scheinen nur an Obdach und Verwahrung zu denken und der Meinung zu sein, daß es hinreicht, wenn das Wetter ausgeschlossen und das Pferd eingeschlossen ist.»

Karl August ist tot, Goethe ist tot, und so lacht niemand mehr über dieses Opus, das mit seinen kargen, realen Feststellungen den Nagel auf den Kopf trifft.

Wenn Seebach müde ist vom Diktieren, geht er hinunter in den Garten. Er gestaltet das Grundstück nun wirklich ganz so, wie es ihm von Anfang an vorgeschwebt hat. Seine Hauptsorge gilt den Fichten. Er duldet nicht, daß auch nur ein einziger Zweig abgerissen oder abgeschnitten wird. Den unteren Hang hinauf zieht sich nun schon ein richtiges Wäldchen. Er legt einen Stufenweg hindurch, der den großen Bogen der Chaussee abschneidet, durch den ebenen Garten geht und über den efeubewachsenen letzten Anstieg zur Tiefurter Allee hinaufführt.

Ganz nach seinem Sinn verbirgt sich das Haus nun völlig hinter einer lebendigen grünen Mauer. Das ausgesparte Rund, auf dem, umgeben von Fliederbüschen, Henriettes Denkstein neben dem fast völlig eingesunkenen Soldatengrab steht, ist jetzt ganz von Wald umschlossen. Jenseits der Chaussee im Garten am Haus stehen fünf einzelne große Fichten mitten auf dem Rasen. Sie geben dem Gelände seinen besonderen Charakter. Da, wo die oberste Terrasse aufzusteigen beginnt, ist nun auch der ovale Lindenplatz angelegt. Hier sitzt Herr von Seebach manchmal und schaut durch das Tor der Zweige hindurch auf den Rasen mit den Fichten und das dahinterliegende Haus. An der Hauswand neben der Glastür, die in das Gartenzimmer mit dem Holzbogen führt, trägt nun wirklich ein Weinstock Trauben. Er ist so gepflanzt, daß er das Haupthaus und das Nebenhaus zugleich mit seinen Ranken umfassen kann. Durch seine Beziehungen zur Hofgärtnerei verschafft er sich seltene Bäume; er versucht sogar, im Angedenken an alte Zeiten und Goethe, ein Gingkobäumchen bei sich anzusiedeln, und auf das Rasenrondell vor dem Haus pflanzt er die gleichen Kastanien, die Maria Pawlowna vor Goethes Gartenhaus angepflanzt hat — zwei rote und eine der ganz seltenen gelben. Und er erlebt es noch, daß sich im Mai ein roter Teppich mit gelbem Rand vor dem Haus ausbreitet von den herabfallenden Blüten seiner Kastanien.

Am 16. August 1837 feiert die Altenburg noch einmal ein großes Fest. General von Seebach wird siebzig Jahre alt. Von nah und fern kommen die Gäste und die Glückwünsche. Und bewegt empfindet der Alte, wieviel Mitmenschen ihn schätzen und ehren. Er läßt als Danksagung eine Lithographie von sich anfertigen: sie zeigt ihn in voller Uniform, den großen Stern des Falkenordens auf der Brust. Noch immer lockt sich sein drahtiges graues Haar über der hohen Stirn, den scharfblickenden Augen und dem schmallippigen Mund mit den sarkastisch hochgezogenen Winkeln. Er verfaßt zu dem Bild einen Vers und läßt ihn auf einem Beiblatt mit seiner Unterschrift faksimilieren. Es ist seltsam, daß er so ironisch klingt, obwohl es diesmal vielleicht gar nicht so gemeint ist.

> Allen, die am Jubelfeste
> Mich erfreut als werthe Gäste,
> Sey für Zeit und Ewigkeit
> Hier mein Bild als Dank geweiht.
>
> F. von Seebach
> Weimar, den 16. August 1837

Bild und Vers gehen von der Altenburg aus in alle Welt.

Am 27. November 1841 stehen Seebach und sein alter Gärtner an der Biegung der Chaussee. Es ist ein kalter, klarer Tag. Ein wolkenloser tiefblauer Himmel wölbt sich über dem Berg und seinen herbstlich kahlen Bäumen, zwischen denen die Fichten dunkel aufragen. Die beiden beraten den Schnitt der Kornelkirschenhecke. Sie brüllen einander an, daß es weithin schallt, denn auch der Gärtner ist schwerhörig. Und wenn sich am Kegeltor unten die lauten Stimmen vernehmen lassen, dann pflegen die Weimaraner zu sagen: «Es ist nichts; Seebach erzählt sich nur mit seinem Gärtner auf der Altenburg Geheimnisse!»

Da kommen zwei Herren die Chaussee herauf; sie bleiben bei den Männern in Arbeitskleidung stehen, und der eine fragt mit fremdem Akzent: «Pardon! Ist das der Weg nach Tiefurt?»

«Was hat er gesagt?» fragt Seebach den Gärtner.

Aber der steht näher und gibt bereits Bescheid. «Ja», schreit er, «hier rauf und im Bogen nach rechts.»

Der fremde Herr hat sich inzwischen umgewendet. «Die ganze reizende Stadt kann man von hier oben überblicken», ruft er begeistert. Dann wirft er einen flüchtigen Blick auf das Haus und sagt verbindlich: «Welch ein wunderschönes Besitztum!», zieht den grauen Zylinder und verbeugt sich höflich im Weitergehen.

«Verrückter Kerl», brüllt Herr von Seebach. «Nächstens trage ich auch die Haare bis auf die Schulter! Sicher so ein neumodischer Künstler!» Und dann wendet er sich wieder seiner Hecke zu.

Der «verrückte Kerl» war Franz Liszt. Er ahnte nicht, daß er an dem bedeutendsten Ort seines Lebens stand.

Die Großherzogin Maria Pawlowna, die nach Hummels Tod Musik in Weimar entbehrte, hatte den international berühmten Virtuosen als Kapellmeister in außerordentlichen Diensten nach Weimar zu ziehen gewußt. Am 26., 28.

und 29. November 1841 gibt er Konzerte in Weimar, und den freien Tag benutzt er, um sich mit seinem Freunde Felix Lichnowsky das idyllische Tiefurt anzusehen.

Auch auf den Boulevards in Paris scheint die Sonne. Der in Riga als Kapellmeister entlassene Richard Wagner friert noch nicht, aber er hungert. Er hatte gehofft, seinen «Rienzi» hier zur Aufführung bringen zu können — vergebens! Trotzdem hat er in diesem Sommer eine neue Oper, den «Fliegenden Holländer», gedichtet und komponiert und an verschiedene Bühnen in Deutschland gesendet — aber auch hierfür trifft nun Absage um Absage ein. Um den nötigsten Lebensunterhalt zu erwerben, müht er sich mit Kritiken und Essays, in denen er die flache Salonmusik der Weltstadt mit beißendem Spott anprangert. Eine Novelle fließt ihm dabei aus der Feder, in der er schildert, wie ein deutscher Musiker in Paris vor Hunger stirbt.

Um die gleiche Zeit sitzt Friedrich Hebbel in dem grauen, von kaltem Wind durchfegten Hamburg. Sein einziges Unterkommen ist die notdürftig erwärmte Stube der Schneiderin Elise Lensing. Ihrer beider außereheliches Kind, der kleine Max, kränkelt; er schreit ununterbrochen. Hebbel hat den Brief des Hamburger Intendanten in der Hand, in dem sein Drama «Genoveva» mit höflichen Worten abgelehnt wird, weil Raupachs «Genoveva» ins Repertoire aufgenommen worden sei. Und ingrimmig schreibt der Enttäuschte in sein Tagebuch: «Gerade das kann die Welt entbehren, um dessentwillen sie allein zu existieren verdient!» Er wirft den Federhalter nieder. Nachdenklich überschaut er Welt und Schicksale der Menschen, ihr Getrenntsein und ihr Zusammentreffen, das Begreifliche und das Unbegreifliche, langt wieder nach der Feder und schreibt: «Die Lerche zwitschert, die Wachtel schlägt, die Nachtigall singt, keins denkt ans andere, und doch wird eben daraus die schönste Melodie.»

Liszt, Hebbel und Wagner — noch weiß keiner vom anderen, keiner von der Altenburg. Und doch wird ihnen allen einmal dieses entlegene Haus über Weimar zum Schicksal werden und ihrer aller Leben seltsam miteinander verknüpfen. Schönste Melodie wird für die Welt daraus entstehen.

Eine neue Zeit ist unversehens heraufgezogen. Eisenbahnen sind gebaut, auch Weimar liegt jetzt an einem Schienenweg; Telegrafendrähte werden gezogen, Gaslicht erhellt die nächtlichen Straßen, Maschinen erleichtern die Arbeit.

Die Klasse der Arbeiter beginnt eine Macht zu werden, die Völker besinnen sich auf ihre eigenen Werte und fordern nationale Selbständigkeit. Überall kämpfen die politisch und sozial Unterdrückten um ihr Recht auf Arbeit und Brot, auf Freiheit und Menschenwürde. Die Julirevolution in Paris gibt das Signal zum Aufstand gegen alte, längst überlebte Regierungsformen, und nun flackern allerorten in Europa die Brände empor. Die Massen in Frankreich, Deutschland, Polen, Ungarn und Österreich haben ihre geschichtliche Mission erkannt und gehen daran, die Welt zu verändern.

Das Haus auf der Altenburg steht an vielbefahrener Straße, wenn auch ein wenig abseits. Menschen, Wagen, Ereignisse ziehen an ihm vorbei. Studentenschaft, Jugend, schöpferische, aufrührerische Jugend trägt neue Ideen über den Berg der Altenburg nach Weimar hinein.

Im Frühling des Jahres 1847 — das Buch über Pferdezucht und Stallwirtschaft ist bis zur Seite 544 gediehen — legt sich der Erbauer des Hauses zum Sterben nieder — genau zu der Zeit, als sich in Kiew der Lebensweg des weltbekannten Klaviervirtuosen Franz Liszt mit dem der russischen Fürstin Carolyne von Sayn-Wittgenstein für immer verbindet.

Am 22. Mai wird der Sarg Friedrich von Seebachs aus der Altenburg hinausgetragen. Ein Jagdhund läuft unruhig und winselnd durch die leeren Räume und kratzt an den Türen, und unten im Stall warten die Pferde vergeblich, daß eine vertraute Hand ihnen den Hals klopft und ihnen einen Leckerbissen reicht.

Seebach hat Platz gemacht. Das Haus öffnet sich neuem Schicksal. Stürme werfen sich gegen seine Mauern, Regen fällt auf sein Dach, und Schnee wirbelt um die Fenster. Die Sonne bescheint es von Osten, Süden und Westen her, und die Sterne ziehen darüber hin. Im Sommer sieht man es schon von weitem sich erheben; doch vom Oktober an verhüllen die Ilmnebel seine Umrisse, und trotz seiner dicken Mauern dringen Feuchtigkeit und Kälte in seine Räume.

Noch immer hat das Haus keine Nachbarn. Und doch ist es nicht einsam, denn die Straße führt mitten durch sein Grundstück hindurch. In zweifach verschiedener Weise bietet es sich dem Beschauer dar: Steigt man von unten über die Ilmbrücke die Straße herauf, so sieht man ein freies repräsentatives Haus am Bergrand stehen, das über Stadt und Tal hinschaut; kommt man jedoch von oben her, so verbirgt sich ein Haus hinter einer dunklen, fichtenbestandenen Waldwiese und einem steilen bewaldeten Berghang.

Noch wohnt Helene von Rott mit den Ihren in der ersten Etage. Doch die miterbenden Geschwister Amélie und Gustav drängen auf Verkauf. Das große Anwesen, nur genutzt von der kleinen Familie, ist schwer zu halten. So wird im Jahr 1848 die Altenburg an den Makler Stock verkauft.

Und als Franz Liszt — seit sechs Jahren bereits Kapellmeister in außerordentlichen Diensten in Weimar — beschließt, sich für länger hier niederzulassen, und für die Fürstin Carolyne von Sayn-Wittgenstein und ihr Töchterchen ein Unterkommen sucht, da bietet sich die Altenburg als geeignetes Domizil an. Es soll nicht für lange sein. Die Fürstin, dreiunddreißig Jahre alt, gebürtige Polin, hat ihren Mann und ihre großen Güter in der Ukraine aus tiefer Neigung zu Franz Liszt verlassen. Die Scheidungsklage ist eingereicht. Es ist zu hoffen, daß die Eheschließung mit Liszt bald erfolgen kann. Und bis zu diesem nicht fernen Zeitpunkt sucht die russische Untertanin Schutz am Hof der russischen Großfürstin Maria Pawlowna, die Großherzogin des Ländchens Sachsen-Weimar ist.

In den letzten Tagen des Juni 1848 bringt ein Diener des Hotels «Erbprinz», in dem Liszt wohnt, der Frau Kammerrätin von Rott auf der Altenburg ein Billett folgenden Inhalts:

«Darf ich ergebenst anfragen, ob die Frau Fürstin Wittgenstein am Donnerstag mittag, ohne allzusehr Ihre Ruhe zu stören, das Haus besichtigen könnte. Ich werde die Ehre haben, wenn Sie gestatten, die Frau Fürstin zu begleiten. Ergebenst Franz Liszt.»

«Ich bin ja gespannt», sagt Helene von Rott zu ihrem Mann. «Wie eine Zigeunerin soll sie aussehen. Was wohl der Papa dazu sagen würde, daß eine russische Fürstin hier hofhalten wird.»

«Na, hofhalten», erwidert Herr von Rott. «Es soll ja wohl bloß so eine Art Zwischenstation sein. Aber gespannt bin ich auch. Die ganze Stadt klatscht ja über sie.»

Es ist ein strahlend schöner Sommertag, als gegen Mittag ein Wagen in das Rondell einfährt und vor den fünf Steinstufen hält. Ehe noch der Diener des Rottschen Hauses den Schlag öffnen kann, ist Liszt schon behende herausgesprungen und bietet galant einer zierlichen Dame die Hand zum Aussteigen.

Helene von Rott, die oben neugierig am Fenster des Saales steht, erhält nur einen flüchtigen Eindruck von Beweglichkeit und Farbenwirbel. Es ist, als sei eine ganze Gesellschaft vorgefahren und nicht nur ein einziges Paar mit einem etwa elfjährigen Mädchen. Doch schon hört man Schritte und Stimmen auf der Treppe. Der Diener öffnet die Tür des Saals, und im Rahmen erscheint, schwarzhaarig, klein, in leuchtend violetter Seide mit einem grellen gelben Schal und fremdartigem Kopfputz, die Fürstin Wittgenstein. Hinter ihr, hoch und schlank, Liszt, das ausdrucksvolle Gesicht von langen dunkelblonden Haaren umrahmt.

«Oh, charmant», ruft die Fürstin nach der Begrüßung, «charmant, kein Visavis und ein Blick mitten in den Himmel!»

Sie tritt mit Liszt ans Fenster, und beide sehen überrascht auf das in aller Kleinheit großzügige Bild da unten: das Häusernest mit den drei Türmen und zur Rechten im Sonnenlicht der gerade Höhenzug des Ettersbergs; zu ihren Füßen die Straße und darunter ein Hang mit Laubbäumen, zwischen denen einige Fichtenwipfel dekorativ aufragen.

«In der Tat, sehr, sehr schön», bestätigt Liszt. «Ein schöner, geräumiger Saal.» Er schaut sich um. «Sie wohnen schon lange hier, gnädige Frau?»

«Ja», antwortet Herr von Rott für seine Frau, «mein Schwiegervater hat das Haus hier oben gebaut, er hatte gärtnerische Passionen und als Stallmeister des Großherzogs natürlich Pferde und auch Repräsentationspflichten.»

«Gärtnerische Passionen?» fragt die Fürstin lebhaft. «Dann sind wohl Gewächshäuser da?»

«Nein, nein», wehrt Frau von Rott ab, «wo denken Sie hin! Wir freuten uns schon darüber, daß die Fichten wuchsen und vorm Haus die Kastanien. Auch Goethe interessierte sich für die gärtnerischen Pläne meines Vaters.»

«Goethe?» ruft die Fürstin lebhaft. «Ist Goethe in diesem Haus gewesen?»

«Ab und zu, ja», sagt Frau von Rott. «Goethe und mein

Vater waren Amtskollegen. Und meine Schwester ist mit den jungen Goethes eng befreundet. Mein Schwager ist der Pate von Goethes zweitem Enkel Wolf.»

«Interessant!» meint die Fürstin und sieht sich nun aufmerksamer im Raum um.

«Ja», bestätigt Liszt lächelnd, «hier in Weimar stößt man überall auf Geschichte. Im ‹Erbprinzen› hat Bach gewohnt, und hier hat Goethe verkehrt. Das sind gute Schutzgötter, nicht wahr?» Er zieht das kleine weißgekleidete Mädchen an sich, das bis dahin still auf einem der Stühle mit dem lyraförmigen Motiv in der Lehne gesessen hat. Das Kind hat ein liebliches rundes Gesicht und die großen schwarzen Augen der Mutter. Es nickt nur schüchtern. «Hier kann man auch die Sonne suchen gehen, Magnolette. — Sie ist daheim in der Ukraine einmal weit weggelaufen», fügt er, zu den Rotts gewandt, erklärend hinzu, «weil sie sehen wollte, wo die Sonne unterging ...» Er lächelt das Kind zärtlich an. «Aber nun dürfen wir vielleicht das Haus besichtigen?»

«Ich bekomme erst nur wenige Sachen aus Rußland nach», sagt die Fürstin, als sie im ersten Stock herumgehen, «aber hier sicher auch magasins élégants?»

«Nun ja, wenigstens gibt es gute Handwerker — Hofdekorateur Bosse und Hoftischler Scheidemantel zum Beispiel», antwortet Frau von Rott.

«Wissen Sie, ich bin der Meinung, daß man nur in ganz bestimmten Farben leben kann», äußert die Fürstin. «Arbeiten in Blau, das Speisezimmer auf braun-creme gestimmt, der Musiksalon festlich gelb, das Kinderzimmer weiß ...»

Helene von Rott staunt die fremde Dame an. Goethe, denkt sie, hatte der nicht auch so besondere Ideen mit Farben? Sie alle haben nur immer darüber gelächelt.

«Oh, hier ist es schön!» unterbricht Liszts Stimme plötzlich ihre Gedanken. Man ist inzwischen zwei Stufen hinabgestiegen und in einen fast quadratischen, leeren Raum eingetreten.

«Hier hat mein Vater seine letzten Lebensjahre verbracht», erklärt Helene. Sie ist bewegt.

«Dann lebt noch ein guter Geist hier», sagt Liszt mit warmer Herzlichkeit. Beide Rotts sehen sich an; sie sind fasziniert von der Liebenswürdigkeit dieses berühmten Mannes. «Das Zimmer ist ja geradezu möbliert durch den Garten!» fährt Liszt lebhaft bewundernd fort.

Und wirklich, der stille Raum mit seinem breiten dreiteiligen Fenster scheint ganz erfüllt zu sein von den Kronen der Bäume draußen. Eine Fichte mit dunklem Wipfel steht einsam im mittleren Fensterrahmen.

«Hier ist Sammlung und Heimat.» Liszt sucht die Augen der Fürstin.

«Eh bien, wenn es Ihnen recht ist, werde ich mich die ersten Wochen im Parterre einrichten, bis Sie ausgezogen sind. Wir sind ja nur zu viert: meine Tochter, ihre englische Erzieherin, unsere alte Kinderfrau Kostenecka und ich.»

Rotts bringen die Besucher hinaus. Herr von Rott schließt selber den Schlag, und der Wagen rollt um das Rondell herum den Berg hinab.

«Findest du nicht», sagt Frau von Rott, als sie die Treppe emporsteigen, «daß sie ein bißchen aussieht wie die Tante Stein, so zierlich und brünett?»

«Ja», erwidert er, «nur ist sie weniger hübsch und viel fremdartiger. Aber dieses Temperament!»

«Und diese Farben!» Helene schüttelt den Kopf. «Es sah ja entzückend aus, dieses leuchtende Violett und Gelb zu dem bräunlichen Teint, aber wer trägt denn so etwas! — Und er, er ...» Sie verstummt bewundernd.

«Wie gefällt es Ihnen, Carolyne?» fragt im Wagen der Mann die Frau.

«Ich glaube, daß es ein gutes Asyl sein wird — bis wir unser Glück erlangt haben.»

«Haben wir es nicht schon erlangt, Carolyne?» sagt der Mann und spielt zärtlich mit den Fransen des gelben Schals.

Es ist der 13. August 1848; die Fürstin Wittgenstein sitzt im südlichen Ecksalon am Fenster und stickt. Das Zimmer ist dunkelblau tapeziert; an den Fenstern und an beiden Türen hängen tiefgerafft schwere, dunkelrote Samtvorhänge; überall Teppiche und Felle, Sessel und Taburette, hohe und niedere Tischchen; an den Wänden viele Bilder; in einer Ecke eine Gruppe seltener Palmen.

Carolyne stickt mit leuchtendbunter Wolle einen Wandteppich für Liszt. Plötzlich hört sie von ferne die Landstraße herunter vielstimmig ein Marschlied; der Gesang wird lauter und lauter, dazwischen jetzt Pferdegetrappel. «Aux armes, citoyens!» — Sie kennt das Lied. Sie liebte es schon früher, in Rußland, aber ihr Mann hielt es fast für ein Verbrechen, es nur anzuhören. Dann aber hat sie es in Wien nach ihrer Flucht immer wieder in den Kämpfen der Aufständischen vernommen. Und seitdem gehört diese elektrisierende Weise untrennbar zu dem Neubeginn ihres Lebens, zu diesen heißen, leidenschaftlichen Wochen ihres ersten Zusammenseins mit Liszt in Deutschland, zu dem umstürzenden Entschluß, den sie gewagt hat.

Sie summt die Melodie mit. Dann steht sie auf und beugt sich aus dem Fenster. Da kommt eine Reihe schwerer Bauernwagen von Jena her, voll von jungen Studenten: Burschenschafter mit farbigen Stürmern und Pekeschen, dazwischen andere in offenstehenden Hemden, die Ärmel halb aufgekrempelt — alles junge, kühne Gesichter. Man sitzt und steht eng zusammengedrängt auf den Wagen und singt. Über den Köpfen weht eine rote Fahne mit einem goldgestickten R in der Mitte: Revolution! Sie tragen die

Fahne der Freiheit der Weimarer Bürgerwehr entgegen, die heute die ihrige auf dem Markt weihen will.

Die Fürstin sieht auf das bewegte, bunte Bild da unten und winkt den Wagen begeistert zu. Die jungen Männer werden aufmerksam, sie schauen her, sie winken zurück und schwenken die rote Fahne. Und als sie um die Kehre der Chaussee abwärts fahren, stimmen sie ein neues Lied an. «Wohlauf, Kameraden, aufs Pferd, aufs Pferd! Ins Feld, in die Freiheit gezogen!» singen sie. Dann verschwindet der Zug hinter dem Wäldchen. Die Fürstin läßt den Arm sinken. Revolution, denkt sie, Umwälzung, überall tut sie not! Ja, so denkt auch Liszt. Und ihr Herz klopft schneller.

Am Abend knarren die Wagen an der Altenburg vorbei nach Jena zurück. Wieder ertönt Gesang: «Der Gott, der Eisen wachsen ließ, der wollte keine Knechte.» Der fröhliche Schwung vom Morgen ist einer trotzigen Entschlossenheit gewichen. Es hat Tumult gegeben unten in der Stadt. Die freien Worte sind niedergebrüllt worden. Vor Bajonetten haben sie weichen müssen. Die Studenten sind durch Polizeiverhöre gezerrt worden. Einige fehlen, sie sind noch verhaftet. Aber die rote Fahne mit dem goldenen R weht über den Wagen — trotz allem, wegen allem!

Und die ersten Kompositionen, die auf der Altenburg entstehen, sind der «Arbeiterchor» und die «Héroide Funèbre», jene heroische Musik, die den Sturm und das Leid und die inbrünstige Siegeszuversicht der Revolution erfassen wollen. Der Mut der Jenaer Studenten hat in Liszt von neuem den Elan geweckt, mit dem er 1830 in Paris den Freiheitskampf begrüßt hat. Den eigentlichen Ideen der sozialen Umwälzung zwar jetzt entrückt, fühlt er doch erregend den Anstoß zu Neubeginn in seinem Leben. Eine neue Epoche beginnt hier in dem Haus auf dem Berg.

Die Fürstin jubelt. Sie jubelt bei allem, was Liszt schafft. «König Midas, was du berührst, wird Gold!» —

König Midas, so nennt sie ihn bewundernd. Nichts von dem tragischen Sinn der antiken Sage kommt ihr zum Bewußtsein. Nichts davon, daß die Fähigkeit, alles Berührte zu schimmerndem Gold zu machen, sich auch auf Brot erstreckt, auf Brot, das, in solcher Weise verwandelt, nicht mehr zur Nahrung dienen kann. Allein an die schöne Phrase denkt sie, daß alles unter seinen Händen zu Gold wird. Und die reiche Fürstin schenkt ihrem berühmten König Midas einen Barren reinen Goldes, auf dem Szenen jenes Wunders eingraviert sind. Liszt nimmt das Geschenk in Empfang, und der goldene Block liegt vierzehn Jahre lang in der Altenburg auf allen Noten, die hier geschrieben werden. Der Goldbarren vom König Midas ist ein Symbol — auch im tragischen Sinn.

Am 22. Oktober 1848 feiert man zum erstenmal Liszts Geburtstag in Weimar. Eisigkalte Regenstürme fegen um das Haus auf dem Berg. Es ist Spätnachmittag. Liszt geht über die regenglatte Kegelbrücke. Im Bett der Ilm wälzt sich schmutziggelbes Lehmwasser. Kein Mensch ist bei diesem Wetter auf der Straße. Jenseits der Brücke öffnet er das Gattertürchen — es hängt noch zwischen Resten der Seebachschen Mauer, die Goethe einmal bewunderte — und tritt in das untere Wäldchen ein. Er klappt seinen Schirm zu, als beträte er schon das Haus. Hier faßt ihn der kalte Wind nicht so, und obwohl Regen fällt, nimmt Liszt den Hut ab, als er den stillen Stufenweg hinaufgeht. Er ist glücklich. Der Tag hat ihm von vielen Menschen Anerkennung gebracht, und nun sucht er das einsame Haus auf, in dem ihn die Frau erwartet, die ihn liebt.

Oben tritt er auf die Chaussee hinaus und biegt durch die Hecke auf den Vorplatz ein. Er steigt die fünf Steinstufen hinauf. Die alte Kostenecka mit weißer Haube öffnet die Haustür. Sie beugt sich nieder und küßt den Saum seines

Mantels. Dann sieht sie Liszt ernst an, schlägt feierlich das Kreuz über ihm und sagt in ihrem gebrochenen Deutsch: «Gott für Herr Doktor.»

«Danke, Kostenecka, danke, das ist ein guter Glückwunsch. Vor einem Jahr in Woronince, da war anderes Wetter! Weißt du noch, wie die Zigeuner am See musizierten?» Und dann steigt er die einundzwanzig Stufen der gewundenen Treppe empor und tritt in den Saal. Wohlige Wärme umfängt ihn.

«Nun feiern wir Geburtstag, wir beide allein.»

«Ja, wir beide allein, Carolyne. Den ganzen Tag habe ich mich auf diese Stunde gefreut.»

Eine große Überraschung hat sie für ihn bereit: Sie führt ihn durch den Ecksalon und das Speisezimmer, eine nie mehr benutzte Tapetentür hindurch zwei Stufen hinunter in jenes quadratische Zimmer im Hinterhaus, in das nur die Baumwipfel hineinschauen. Sie hat es zum heutigen Tag für ihn herrichten lassen. An den Wänden leuchtendblaue Tapeten mit kleinen goldenen Motiven, Liszts birkener Flügel in der Mitte, rechts an der Fensterwand sein Schreibtisch, links der Sekretär der Fürstin. Ein Ruhelager und ein paar Sessel, mit großblumigem Kretonne bezogen, stehen an der Innenwand. Das dreiteilige Fenster ist umrahmt von weißem Mull, der sich unter schwerem blauem Samt bauscht. Hinter dem mittleren zeichnet sich die gezackte Spitze einer Fichte schwarz gegen den graubewölkten Himmel ab.

Der Sturm draußen wirft sich gegen die Baumwipfel und peitscht sie hin und her; er fährt mit Wucht gegen die Wände des Hauses und heult in den Kaminen. Regentropfen klatschen gegen die Fensterscheiben. Die Nacht sinkt finster hernieder. Die beiden Menschen in dem kleinen Blauen Zimmer aber sind glücklich. Sie sind davon überzeugt, daß sie kraft ihrer Liebe allem Unwetter trotzen werden.

Das Weimarer Theater feiert alljährlich den Geburtstag der Großherzogin Maria Pawlowna mit der Neueinstudierung einer Oper. Gewöhnlich ist es eines der anerkannten französischen oder italienischen Werke. Diesmal aber plant der Kapellmeister in außerordentlichen Diensten Franz Liszt etwas ganz Besonderes: die Aufführung einer modernen deutschen Oper, die Aufführung von Richard Wagners «Tannhäuser»!

Liszt hatte im Frühjahr in Dresden den Kapellmeister Wagner kennengelernt; ein Besuch Wagners in Weimar war bald gefolgt und hatte die Freundschaft gefestigt. Liszt ist tief beeindruckt von Wagners Musik und übernimmt es selbstlos, ihr Geltung zu verschaffen. Weimar ist klein genug, und es ist groß genug für ein solches Wagnis, denkt er.

Ein Wirbel von Arbeit, Hindernissen, Kämpfen folgt auf seinen kühnen Entschluß. Partitur und Solostimmen müssen erst von Dresden ausgeliehen werden. Im Orchester fehlen notwendigste Instrumente. Die Sänger stehen vor Aufgaben stimmlicher und darstellerischer Art, die bis dahin völlig unbekannt waren. Probe folgt auf Probe — lang und anstrengend. Sechs Tage vor der Premiere erklärt sich der Sänger des Tannhäuser, Herr Götze, für außerstande, die Partie, die mühsam mit ihm erarbeitet worden ist, zu singen. Der einzige Sänger, der den Tannhäuser noch einstudiert hat, Herr Tichatscheck, sitzt in Dresden und ist dort Abend für Abend in anderen Rollen eingesetzt. Und trotzdem! Der «Tannhäuser» geht am 16. Februar 1849 in Weimar über die Bühne. Unter Liszts genialer Leitung erklingt die neue Musik in der «kleinen großen Stadt»!

Wenige Tage später trifft Wagners Dankbrief ein: «Lieber Freund Liszt! ... Sie mußten aus aller Welt Enden erst am Sitz eines kleinen Hoftheaters sich auf einige Zeit ansiedeln, um sogleich zum Werke zu greifen. Sie redeten und verhandelten nicht viel, Sie machten sich selbst über die ungewohnte Arbeit her und studierten den Leuten mein Werk ein. Nun seien Sie aber versichert, daß niemand es so gut weiß als ich, was es heißt, eine solche Arbeit unter solchen Umständen, wie sie bestehen, zutage zu fördern. Ihnen galt es nicht bloß, die Oper aufzuführen, sondern sie verstanden und mit Beifall aufgenommen zu wissen. Dazu hieß es mit Leib und Seele sich aufopfern, jede Faser seines Leibes, jede Fähigkeit der Seele auf das eine hinwirken zu lassen. Ich danke Ihnen, lieber Freund!»

Und an seinem Schreibtisch im Blauen Zimmer schreibt Liszt nach Dresden zurück: «Teuerster Freund! So viel schulde ich den feurig ergreifenden und großartigen Blättern Ihres ‹Tannhäusers›, daß ich mich ganz vor den Danksagungen verlegen fühle, welche Sie mir auszusprechen die Güte haben. Ich danke Ihnen von ganzem Herzen für die Dankesworte!»

Wenige Wochen später, am Montag, dem 14. Mai 1849, sitzt Richard Wagner abermals mit Liszt und der Fürstin am Teetisch im Saal der Altenburg. Doch dies ist kein harmloser Freundschaftsbesuch: Ein Flüchtling ist eingekehrt, ein politisch Verfolgter! Die Altenburg ist die erste Station auf dem Weg in ein zwölfjähriges Exil.

Aufgeregt war Wagner am Abend zuvor im Hotel «Erbprinz» bei Liszt aufgetaucht und hatte ihn um Hilfe gebeten. Erfüllt von den neuen revolutionären Ideen hatte er sich in Dresden enthusiastisch am Aufstand des Volkes beteiligt. Preußische Truppen waren eingesetzt worden. In letzter Minute hatte Wagner noch entkommen können, und nur ein einziger Zufluchtsort war ihm eingefallen: Weimar und der Freund, der soeben seinen «Tannhäuser» aufgeführt hatte!

«Es ist seltsam», sagt Wagner, «in dem Augenblick, wo ich meine bürgerliche Heimat verlassen muß, gewinne ich eine

geistige — hier in Weimar. Eine Heimat für meine Kunst.»
Er ist noch immer erregt. Aufgebracht erzählt er von seinen Dresdner Erlebnissen. Hierauf schweigen alle drei bedrückt.

Plötzlich aber beginnt Wagner von dem zu sprechen, was ihn zutiefst erfüllt, er spricht von seinem Werk. Zunächst von der neuen Oper «Lohengrin», dann von einer erst nur erahnten Idee, einer Oper über Jesus von Nazareth.

«Was sagen Sie dazu? Die Tragödie des Lebens Jesu, ganz im Sozialen aufgefaßt. Wunderbare dramatische Szenen wird das geben. Denken Sie nur die Möglichkeiten: der einzelne gegen die Masse, der einzelne die Masse bezwingend, das unerhörte Drama der verschiedenen Verhandlungen und Verhöre!»

«Und Golgatha! Golgatha wollen Sie auf die Bühne bringen?» wendet die Fürstin erregt ein.

«Nun ja», meint Wagner beirrt, «irgendwie — andeutungsweise. Jesus von Nazareth ist eine historische Persönlichkeit.»

Die Fürstin ist außer sich: «Jesus Christus ist der Erlöser, den die Menschheit nur im Gebet erreicht!»

Meinung prallt gegen Meinung. Sie sucht ihn zu überzeugen, er verteidigt sich; die Stimmen werden scharf, es gibt eine heftige Debatte.

Liszt sitzt dabei und schweigt. Er sieht durch das Fenster in den hellen Himmel. Plötzlich sagt er leise: «Der gekreuzigte Gott ist eine Wahrheit.» Und alle drei schweigen befangen.

Mehr noch als sonst wird in diesen Tagen auf der Altenburg musiziert. Nicht nur Liszt spielt, auch Wagner spielt unaufhörlich. Sie suchen in der Musik Zuflucht vor dem herandrängenden Schicksal. Wagner trägt aus seinem «Lohengrin» vor. Er spielt, er summt, er singt, er erklärt — zum erstenmal vor verständnisvollen Ohren und verständnisvollen Herzen. Mit der Stimme, mit den Händen, mit dem Mienenspiel läßt er die Tragödie erstehen von dem Gottgesandten, der nicht aufgenommen wird, weil er namenlos ist. Und immer von neuem erklingt das Lohengrin-Motiv im Saal der Altenburg.

Enthusiastisch umarmen sich die drei Menschen. «Das ist etwas Neues, etwas noch nie Dagewesenes», ruft Liszt begeistert aus. «Wort und Idee, Dichtung in der Musik – das ist das Ziel! Das ist Zukunft!»

«Nur die Einheit aller Künste vermag große Ideen wirklich zu erfassen», fällt Wagner feurig ein. «Ein Drama mit den Möglichkeiten jeglicher Kunst, Wort, Bewegung, Farbe, innerhalb der Musik – ein Musikdrama muß gestaltet werden!»

«Ja», stimmt die Fürstin zu, «dann wird man in eine Oper gehen, um sich zu sammeln, nicht um sich zu zerstreuen – es wird ein Festspiel sein!»

«Oh», ruft Liszt, «wir drei, wir werden ein neues Weimar schaffen!»

Doch schon vier Tage später, am 18. Mai, findet Liszt im «Erbprinzen» die Nachricht von Wagners Frau vor, daß die Polizei in Dresden eine Haussuchung vorgenommen habe und daß ein Steckbrief gegen Wagner erlassen worden sei. Dem Weimarer Musiker Röckel, der gleichfalls an dem Aufstand beteiligt war, droht, wie man hört, die Todesstrafe. Ihm kann keiner mehr beistehen. Wagner muß unbedingt fort aus Deutschland. Liszt bemüht sich fieberhaft um einen falschen Paß, um unauffällige Reisemöglichkeit, um Geld. Der Diener des «Erbprinzen» muß noch am Abend einen Brief auf die Altenburg tragen: «Können Sie dem Überbringer sechzig Taler mitgeben? Wagner muß fliehen, und ich kann ihm im Augenblick nicht zu Hilfe kommen. Gute und glückliche Nacht!»

Am nächsten Mittag geht Liszt rastlos in dem dunkelblauen Ecksalon hin und her, während die Fürstin, um ihre Unruhe zu bewältigen, am Wandteppich stickt.

«Jetzt müßte er in Magdala sein», sagt er. «Ich bin erst ruhig, wenn ich Nachricht habe, daß er sicher in Paris ist. Von dort kann er in die Schweiz. Das Bild werde ich nie vergessen, wie er in seinem dürftigen braunen Röckchen so allein in dem kleinen Einspänner die Oberweimarer Chaussee dahinfuhr. Es ist eine Schmach, daß so ein Mensch fliehen muß. Statt daß man ihm goldene Brücken baut, statt daß man ihn in dieser Welt unterbringt!»

Er steht am Fenster und sieht auf die Landstraße hinunter. «Vielleicht fährt gerade jetzt da unten auch ein Flüchtling vorbei, ohne daß man es weiß.» Er wendet sich heftig um. «Lassen Sie uns dieses Haus zu einem Asyl machen für alle, die da anklopfen, Carolyne! Exil-Asyl—das soll eine Aufgabe der Altenburg werden!» Und die Fürstin nickt ihm ernst zu.

Nur zögernd rüstet sich die Welt, den Tag zu feiern, an dem sich zum hundertsten Male jährt, daß der Menschheit ein Goethe geschenkt wurde. In Weimar wird der Registrator Schuchardt, der die letzten sieben Jahre bei Goethe Sekretärsdienste geleistet hat, einen Katalog der hinterlassenen Sammlungen zusammenstellen und veröffentlichen. Die scheuen Enkel werden die sonst ängstlich verschlossen gehaltenen Türen seines Hauses freitags für einige Stunden öffnen. Am Abend des 28. August sollen das Wohnhaus und das Gartenhaus genauso illuminiert werden wie zur Jubelfeier 1825. Im Theater soll, wie damals bei Goethes Tod, der «Tasso» zur Aufführung kommen. Das ist alles.

Doch nein. Auch in Berlin regt es sich. Alexander von Humboldt, Peter Cornelius, Varnhagen von Ense, die noch lebenden Zeitgenossen Goethes, schließen sich zusammen und schlagen vor, «in Weimar ein Institut zu gründen, um die künstlerischen Produktionen in Deutschland zu fördern, um ihren bildenden Einfluß auf den moralischen Fortschritt der Nation zu vermehren». Am 5. Juli erscheint dieser Aufruf. Bereits am 5. Juli! Niemand hört ihn, aber Liszt auf der Altenburg beachtet ihn. Er ist entflammt.

Er, der Ungar, hat erkannt: Weimar ist mehr als eine Stadt — Weimar ist ein Begriff, es ist ein Quellpunkt schöpferischen Geistes! Wie viele Ströme geistigen Lebens sind hier entsprungen oder haben hier ihr breites Bett gefunden, um dann befruchtend über ganz Europa zu fließen. Weimar ist eine Aufgabe. Weimar muß wieder leben. Nicht das alte Weimar — ein neues! Durch Kunst im Zeichen Goethes! Er, Liszt, ist bereit, sich ganz dafür einzusetzen: Eine Goethestiftung müßte zur Feier dieses einhundertsten Geburtstags ins Leben gerufen werden — kein Institut, sondern ein Wettstreit aller Künste! In stetem Wechsel sollten Dichtkunst, Musik, Malerei und Bildhauerei in goethischem Geist vor dem Forum der Kulturwelt zum Wettbewerb antreten und der Beste dann in Weimar gekrönt werden. Jedes Jahr am 28. August sollte ein Fest alle Deutschen vereinen, ein allgemeines, prunkvolles Fest, um die zeitgenössische lebendige Kunst zu feiern. Im Geiste Goethes vorschreiten, das hieße Goethe wahrhaft ehren!

Im Blauen Zimmer der Altenburg sitzen Liszt und Carolyne und schreiben diesen Plan nieder. In zehn Kapiteln mit fünfundsechzig Paragraphen wird bis ins einzelne die Ausführung dieser Idee dargelegt. Nur Meister deutscher Künste sollten zum Wettstreit antreten, die Richter aber aus allen Kreisen stammen. Das künftige Festhaus ist schon beschrieben mit Arbeitsräumen, Klubzimmern, Bibliothek, Sälen für Aufführungen und Ausstellungen. Und eine lange geistesgeschichtliche Einleitung geht den praktischen Vorschlägen voraus.

Welch großartiger, welch lebendiger Plan!

Nur leider ist dieser für Deutschland bestimmte Entwurf in französisch geschrieben und wird auch in französisch gedruckt! Und Liszt wird, zwanzig Jahre später nach Weimar zurückgekehrt, über seinen Idealismus von damals lächeln.

Eine musikalische Einleitung zum «Tasso» entsteht in diesen Tagen im Blauen Zimmer. Der «Tasso» als Dichtung allein genügt einer neuen Zeit nicht zur Feier Goethes! Das Theater wird der Aufführung eine Ouvertüre voranschikken, damit das Publikum auch kommt. Liszt, der Weltbekannte, wird das Goethesche Werk einleiten.

Tasso! Schon einmal ist auf dem Berg der Altenburg nach dem Bilde Tassos gegriffen worden. Als Goethe 1781 auf dem kahlen Hügel das Fazit seiner Weimarer Jahre zog, arbeitete er am «Tasso». Im Leidensweg des großen italienischen Dichters sah er die eigene tragische Lebenssituation am Hof gespiegelt.

Nun müht sich Liszt um ein Tassobild. Jene traurige Weise auf ihren unsterblichen Dichter, welche die Gondolieri über die Wasserstraßen Venedigs hinklingen lassen, lebt in seiner Erinnerung, und er verwandelt dieses einfache Volkslied in einen pompösen Triumphgesang voller Dramatik, Spannung und Virtuosität.

«Symphonische Dichtung», so nennt die Fürstin begeistert die neue Schöpfung. Musik als Aussage eines dichterischen Themas; Musik, bereichert durch das Wort. Eine neue Ära künstlerischen Schaffens hat begonnen. Im Namen Goethes — auf der Altenburg!

Die Tage dieses August vergehen in Feierlichkeiten, Trubel und Geschäftigkeit. Die Fürstin ist mit ihrer Tochter Marie nach Helgoland abgereist; sie möchte bei dem Fest nicht Anlaß zu neuem Klatsch geben. Liszt hat mit Proben und Dirigieren und Aufwartungen bei Hof und Begrüßung der

Gäste übergenug zu tun. Dann reist er der Fürstin nach. Der Diener Hermann, die Mädchen Jetty und Therese und die alte Kostenecka bleiben zurück und halten haus.

Kostenecka mustert jeden Tag sorgsam die Räume. Sie geht, wie sie es gewohnt ist, mit nackten Füßen. Sie steigt aus dem Hof das Hintertreppchen hinauf in das Blaue Zimmer, in das Arbeitszimmer des Herrn Doktor, um dort nach dem Rechten zu sehen. Dann treten die nackten Sohlen behutsam durch die schmale Tür in den Nebenraum, der als Kapelle eingerichtet ist. Sie wischt mit der Schürze über die beiden Betstühle. Auf einem Tischchen davor steht das kleine goldene Kruzifix aus Woronince. Sie kniet nieder, bekreuzigt sich und küßt den Boden. Dann erhebt sie sich, steigt die beiden Stufen empor ins Vorderhaus, geht durch das Speisezimmer in den dunkelblauen Ecksalon. Sie rückt an den Sesseln, gießt die Palmen und blickt scheu empor zu einem Bild, das unter vielen anderen an der einen Wand hängt. Es stellt die Heiligen Drei Könige dar, und der mittelste trägt die Züge des Herrn Doktor. Sie bückt sich vorsichtig im Weitergehen, um ja nicht die Samtportiere zu berühren, die tief über dem Eingang zum Saal herabhängt, tritt ans Fenster und schaut einen Augenblick lang auf die Straße hinab. Sie prüft, ob auch kein Staub auf der großen schwarzen Fläche des geschlossenen Flügels liegt, und fährt mit ihrer verarbeiteten Hand über das kühle glatte Holz. Ein paar Noten liegen darauf, aber sie wagt es nicht, sie fortzuräumen, obwohl der breite niedrige Ständer dasteht.

Nun geht sie nach nebenan in das Wohnzimmer der Prinzeß Marie. Es ist alles weiß darin, die Möbel, die Vorhänge, der weiche Teppich. Daneben das kleinere Schlafzimmer; und dann das Schlafzimmer der Fürstin. Mitten im Raum das breite Bett und über dem Kopfende ein hohes einfaches Holzkreuz — wie in Woronince. «Täubchen», flüstert sie zärtlich und zieht ein Fältchen der Bettdecke glatt. Nun steigt sie die einundzwanzig Stufen durchs kühle Treppenhaus hinunter und betritt unten das Gartenzimmer mit dem großen hölzernen Rundbogen. Hier gibt der Herr Doktor seine Stunden. All die vielen jungen Leute, die hier hereinkommen, und immer andere! Viele, viele Menschen. Sie tritt durch die Glastür in den Garten hinaus, steht still und atmet ein wenig auf. Dann prüft sie mit beiden Händen, ob die Vorderfalte am Kopftuch ordentlich sitzt, öffnet das Gartenpförtchen, überquert mit tappenden Füßen die staubige Chaussee und geht auf der anderen Seite in das Wäldchen hinein. Dort steht ein Stein, vielleicht ist es ein Grabstein? Die alte Kostenecka weiß es nicht. Auf jeden Fall schlägt sie das Kreuz über sich. Nachdenklich setzt sie sich auf den niedrigen Hügel neben dem Stein. Sie sitzt gern hier. Niemand stört sie; der Stufenweg führt weiter vorne abwärts. Verwilderte Büsche und Bäume umschließen den Platz. Sie zieht die nackten Füße unter den Rock, wickelt die Arme in die Schürze und blickt vor sich hin. Die Fürstin soll krank geworden sein, da, wo sie alle hingereist sind. Aber bald können sie wiederkommen!

Dann sieht sie auf: Ein goldener Schein umgibt sie, die Sonne geht hinter den Bäumen unter. Sie blickt zum Himmel empor. Wolken haben sich gebildet; sie türmen sich dunkel um einen klaren hellen Raum. Es sieht aus, als seien es die bewaldeten Ufer eines Sees. O ja — jetzt erkennt sie es: das ist ja der stille See in Woronince! Da ist das Schilfufer und dort der Wald. Aber der Berg dort, der war doch früher nicht da! Den kennt sie nicht. Gibt es jetzt einen Berg in Woronince? Aber der See, der ist der gleiche! Er schimmert manchmal so blau; und da ist auch die Bucht gegenüber dem Gutshaus. Da sangen die Zigeuner des Abends. Und dann tanzten sie alle. Oh, Woronince! «Täubchen, wir wollen zurück nach Woronince», flüstert sie und legt die alten Hände vor das Gesicht.

Kostenecka muß lange warten. Es wird Oktober, es wird November, es wird Dezember. In Eilsen, wo sich die Fürstin nach ihrem dreiwöchigen Helgolandaufenthalt einer Kur gegen Rheumatismus unterziehen wollte, hat sich ein schmerzhaftes Gallenleiden gemeldet, und Liszt mag die Kranke nicht verlassen. Erst im Januar 1850 kommen sie alle zurück. Der junge Musiker Joachim Raff lebt nun bei ihnen und leistet wichtige Sekretärsdienste. Er übersetzt Liszts schriftstellerische Arbeiten ins Deutsche, und er instrumentiert Liszts Kompositionen.

Nun beginnt wieder das Leben auf der Altenburg. Zwar nicht mehr das alte, das sich der öffentlichen Moral zuliebe versteckte und den Reiz, aber auch die Schwierigkeit eines heimlichen Liebesverhältnisses an sich trug. Schon ein paar Wochen vor der Reise nach Helgoland, im Trubel des Goethejahres, ist Liszt ganz in das Blaue Zimmer und in den zweiten Stock des Haupthauses gezogen. Der Hof allerdings läßt sich nicht beirren: für ihn wohnt Liszt weiter im «Erbprinzen». An eine gesetzliche Regelung ihrer Beziehungen ist allerdings immer noch nicht zu denken. Im Gegenteil, da der Fürst nicht in eine Scheidung einwilligen will, hat der Zar die unbotmäßige Untertanin seines Landes verwiesen, und Maria Pawlowna, seine Schwester, muß demzufolge der Fürstin ihre Gunst, jedenfalls offiziell, gleichfalls entziehen. Und so bekennen sich der berühmte Musiker und die russische Fürstin nun mit Entschlossenheit vor der Welt zu ihrem außergewöhnlichen Schicksal. Nach der Rückkehr richten sie sich ganz nach ihren Bedürfnissen ihr Leben auf der Altenburg ein.

Wie zu Seebachs Zeiten befinden sich die Dienstboten- und Wirtschaftsräume links neben dem Eingang im Parterre und im Hinterhaus. Rechts ein Garderobenraum und dahinter das Eckzimmer mit all den kostbaren und seltsamen Geschenken von Liszts Reisen; daneben das Gartenzimmer mit dem Holzbogen und seinem unmittelbaren Ausgang in den Waldgarten. Hier empfängt Liszt ihm unwichtige Besucher; hier gibt er auch Stunden für Schüler aus der Stadt. Ein Wiener Flügel steht in der Mitte, rundum reihen sich Notenschränke und Quartettpulte. An der rechten Wand hängen Reliefs von Wagner, Berlioz und Robert und Clara Schumann; an der linken Wand nur die Totenmaske Beethovens.

Dann steht Liszt noch der zweite Stock zur Verfügung. In das große Mittelzimmer über dem Saal hat er den Erardschen Konzertflügel hinaufschaffen lassen und das zierliche Spinett, das einst Mozart gehörte. Hier oben kann man den Virtuosen Liszt sonntags noch ab und zu in Matineen spielen hören.

Viele Füße steigen den Stufenweg durch das Wäldchen, das unter so wechselvollen Zeiten emporgewachsen ist, hinauf zur Altenburg; Füße, die über viele Straßen Europas gegangen sind, denn die Altenburg ist nicht mehr das Kastell eines einsamen Sonderlings, sondern eine Hochburg lebendigen Geistes.

Das kostbare Silbergeschirr ist aus Rußland angekommen und wird auf Gesimsen im Speisezimmer aufgestellt. Im blauen Ecksalon, dem Wohnzimmer der Fürstin, hängen in prunkvollen Rahmen ihre Lieblingsporträts von Liszt; in der Mitte die «Heiligen Drei Könige», gemalt von Ary Scheffer. Zu dem Antlitz des Jünglings in der Mitte hat Liszt einst Modell gestanden. Die Fürstin treibt einen wahren Kult mit diesem Bild, in dem in so seltsamer Weise jene beiden Ströme zusammenfließen, die ihre Seele erfüllen und die ihr Leben so reich und so zwiespältig gemacht haben — die heiße Leidenschaft zu Liszt und die inbrünstige Liebe zum Göttlichen.

Auch Liszt liebt das seltsame Bild besonders. Er fühlt sich dadurch in seinem religiösen Streben gleichsam bestätigt.

Aber er entsinnt sich beim Betrachten auch hie und da einer Szene, die sich zwischen ihm und dem Maler abgespielt hat, als er Modell stand. «Posieren Sie doch nicht immer so!» hat ihn Ary Scheffer einmal verzweifelt angefahren. «Werden Sie einmal schon mit elf Jahren als Wunderkind verehrt», hat Liszt geantwortet. Er, der Gütige, der Selbstlose, der Demütige, ist eben auch ein zwiespältiger, Anerkennung fordernder und seiner selbst überbewußter, eitler Mensch. In ihm leben gleichzeitig das heiße Blut des Ungarn, der nach Effekt haschende Charme des Franzosen und das grüblerische Streben des Deutschen. Er sucht die Einsamkeit und verlangt doch nach Menschen, es treibt ihn zum Genuß dieser Welt, und er strebt doch nach einem Leben in Gott.

Inmitten des Saals steht neben dem Flügel der Fürstin Liszts größte Kostbarkeit: der Flügel, auf dem Beethoven die letzten Jahre seines Lebens gespielt hat. Nie wird er vergessen, daß dieser Große seinen Künstlerweg mit einem Kuß geweiht hat.

Überall pompöse Leuchter, fremdartige Vasen, bizarre Aschenbecher; auf dem Boden ein russisches Eisbärfell. Schwere Plüschportieren hängen tief über den Türen und den so besonders in Dreiheit angeordneten Fenstern herab. Samt und edles Metall, Taburette und weiche Polster haben das einfache Sofa mit den Fackeln an der Lehne und die Lyrastühle verdrängt. Immer liegt ein Geruch von schwerem, aromatischem Tabak in der Luft, denn sowohl Liszt als auch die Fürstin rauchen unaufhörlich die stärksten Zigarren. Und immer riecht es auch ein wenig nach Kognak, denn Liszt hat es sich angewöhnt, seine Müdigkeit ebenso wie seine Sorgen und Gewissensskrupel durch Alkohol zu betäuben.

In jedem Stockwerk, fast in jedem Zimmer des Hauses, stehen die Klaviaturen Tag und Nacht bereit, zu erklingen.

Und sie erklingen unter Musikerhänden, von denen die Welt einmal reden wird; vor allem aber unter den langen, kräftigen Händen Liszts, der nun seine eigenen Werke spielt.

Das Herzstück der Altenburg, das kleine Blaue Zimmer im Hinterhaus, aber wird nur von zwei Menschen betreten. Hier liegt der Goldbarren des Königs Midas auf vielen, vielen Notenskizzen — denn Liszt ist ein rascher und unermüdlicher Arbeiter — und auf den ebenso vielen Bogen Papier, die Liszt und die Fürstin mit ihren gewandt und flüchtig dahinjagenden Schriftzügen füllen: die Briefe in alle Welt, das Chopin-Buch, die Abhandlungen über die Goethestiftung und die Erläuterungen zu «Tannhäuser» oder anderen Aufführungen des Weimarer Theaters. Hier liegt auch die goldene Kette. Es ist eine dicke, aus Goldfäden zusammengeflochtene Schnur mit einem komplizierten Knoten, in den ein Goldschildchen eingeschmiedet wurde, auf dem das Wort tout — alles — eingraviert ist. Diese Kette hat die Fürstin dem Freunde geschenkt, als sie sich ganz miteinander verbunden haben. Die Kette hat die Form einer Handfessel.

Das Blaue Zimmer besitzt drei Türen. Durch die eine gelangt man auf den Hof hinunter, durch die andere tritt man in ein mönchisches Schlafkabinett. Die dritte, eine kaum sichtbare Tapetentür, führt zu der kleinen Kapelle mit den beiden Betstühlen unter dem Kreuz aus Woronince. Von hier aus gelangt man in das Haupthaus zu den Räumen der Fürstin. Ein einziges Bild hängt im Blauen Zimmer an der Wand, Dürers Kupferstich «Melancholie».

Die Vormittage auf der Altenburg sind der Arbeit gewidmet. Sie werden im Blauen Zimmer verbracht. Allzeit sitzt die Fürstin mit hier. Sie hält den ruhelosen Freund durch ihre Gegenwart und ihre Teilnahme am Werk fest — oder sie meint doch, sie müsse dies tun. Da wird immer von neuem am «Tasso» gearbeitet, an einer «Faust-Symphonie», an einer «Dante-Symphonie». Hier entstehen die «Préludes» mit ihren hinreißenden Melodien. Lieder werden komponiert, Dichtungen der Großen Weimars vertont: «Wer nie sein Brot mit Tränen aß», «Über allen Gipfeln ist Ruh» und Chöre zu Herders «Entfesseltem Prometheus».

Liszt arbeitet ruhelos; auch an sich selbst. Er erlernt die Instrumentation. Er studiert Bachs Werke. Er erobert sich mit Hilfe des engbefreundeten Tiefurter Kantors die Orgel und erweitert die Möglichkeiten des Kircheninstruments durch die virtuosen Mittel des Klaviers. Er schreibt seine erste Fuge, den Gesang des Propheten «Ad nos», und beginnt jene Psalmen in Musik zu setzen, die sie gemeinsam im Kapellchen murmeln. Das Buch «Chopin» entsteht, fast eine enthusiastische Dichtung, in der der Musiker Liszt und die Polin Carolyne gemeinsam das Wesen des soeben gestorbenen Freundes Frédéric Chopin darzustellen versuchen. Ja, die Fürstin, sie sitzt nicht nur stets neben ihm, sie mischt sich auch ein — mit Rat und Korrektur. Niemand weiß doch so genau wie sie, was der Freund in der «Dante-Symphonie» sagen will, seitdem er ihr in Woronince Stücke daraus vorgespielt hat! Das Werk muß ihrer Meinung nach mit schmetternden Fanfaren zum Lobe Gottes enden. Wie kann Wagner nur zu jenem leisen, gleichsam verwehenden Schluß raten? Und doch wird in Zukunft eben jenes Ende gespielt werden, wie Wagner es empfahl.

Die Nachmittage und Abende, ja oft die halben Nächte spielen sich im Vorderhaus ab. Sie gehören der Geselligkeit. Die Fürstin ist eine Gastgeberin von hoher Bildung, von leidenschaftlichem Temperament, von rastlosem Ehrgeiz. Sie ist großzügig und ungebunden. Ach, auch in einem anderen Sinn ungebunden: Noch immer weigert sich der Metropolit von Petersburg, Hotoniewski, beharrlich, ihre Ehe zu trennen; vielleicht unter dem Einfluß der Familie Wittgenstein — der Bruder ihres Gatten ist Kardinal —, vielleicht nach dem Willen des Zaren, der das große Vermögen im Lande behalten möchte. Im Mai des vorigen Jahres hat sich die alte Fürstin Wittgenstein sogar an Maria Pawlowna gewandt: Da ihre Schwiegertochter «alle Regeln der Wohlanständigkeit beiseite gesetzt» habe, möge ihr die Großherzogin ihren Schutz doch endgültig entziehen. Noch hatte dies der Hof um Liszts willen nur formell getan; dennoch wird Carolynes Stellung immer schwieriger. Sie ist aus den Bahnen des Gewohnten herausgetreten, und so macht sie das Haus des Sonderlings Seebach wahrhaft zu einem Haus «auf der anderen Seite». Alles, was gegen hohle Form und bequeme Tradition ist, das findet eine Heimstatt auf der Altenburg: die neue Kunst und die neue Wissenschaft, die freiheitlichen Ideen der Politik und die Errungenschaften der voranschreitenden Technik. Keine Etikette gilt hier außer jener, die eine Achtung vor der schöpferischen Leistung fordert. Und jeder Verbannte wird hier aufgenommen; an erster Stelle Richard Wagner, auch wenn er nicht mehr in Weimar ist. Ein Strom materieller Hilfe fließt unaufhörlich von der Altenburg in die Schweiz. –

«Belloni empfängt von mir den Auftrag, Dir dreihundert frcs zu übergeben.» – «In Beantwortung Deines letzten Briefes habe ich einhundert Taler an Deine Frau nach Dresden gesendet.» – «Wenn ich diesen Winter einige Tage in Berlin zubringe, werde ich es versuchen, den König für Dein Genie und Deine Zukunft zu interessieren.» – «Nach Weimar zurückgekehrt, beeile ich mich, Dir eine Anweisung auf fünfhundert frcs bei Rothschild zukommen zu lassen.» – «Gleichzeitig mit diesen Zeilen sende ich Belloni nach Paris dreihundert frcs, welche er zu Deiner Verfügung halten wird.» – «Ich werde Ihren Hoheiten vorschlagen, Dich aufzufordern, Deinen ‹Siegfried› so bald und so rasch als möglich zu beenden und Dir dafür im voraus ein anständiges Honorar zu schicken.» – «Ich bin beauftragt worden, Dir den beiliegenden Wechsel von einhundert Talern zu übermitteln.» So geht es ununterbrochen.

Aber Liszt tut noch mehr für den Freund. Zur Feier von Goethes einhundertunderstem Geburtstag wagt er die Uraufführung des «Lohengrin» in Weimar.

Aus dem Blauen Zimmer geht ein Brief an Wagner: «Dein ‹Lohengrin› wird unter den außerordentlichsten und für sein Gelingen besten Bedingungen gegeben werden. Die Intendanz gibt bei dieser Gelegenheit nahezu an zweitausend Talern aus, was seit Menschengedenken noch nie in Weimar geschehen ist. Die Presse soll nicht vergessen werden. Das ganze Personal wird Feuer und Flamme sein. Die Zahl der Violinen wird vergrößert, die Baßklarinette ist gekauft. Ich werde alle Proben, Klavier, Chor und Orchester übernehmen. Es versteht sich von selbst, daß wir keine Note, kein Jota Deines Werkes streichen und daß wir es, soweit es uns möglich ist, in seiner reinen Schöne geben werden.»

Und Wagners tiefbewegte Antwort: «Das muß ich sagen — Du bist ein Freund! Laß mich Dir nicht mehr sagen; denn erkannte ich von je in der Männerfreundschaft das edelste und herrlichste menschliche Verhältnis, so lösest Du mir diesen Begriff in die vollste Wirklichkeit auf!»

Und wieder aus dem Blauen Zimmer: «Wir schwimmen ganz im Äther Deines ‹Lohengrin›. Wir machen täglich drei- bis vierstündige Proben. Sei versichert, daß wir alles, was im Gnadenjahr 1850 zu verwirklichen menschenmöglich ist, für Deinen ‹Lohengrin› ins Werk setzen.»

Am 28. August 1850 findet zur Feier des Goetheschen Geburtstags die Uraufführung des «Lohengrin» statt. Europa sieht an diesem Abend nach Weimar. Aus zahlreichen Städten sind die Vertreter der großen Zeitungen gekommen, um die neue Oper zu hören: aus Paris Jules Janin und Nerval, aus Brüssel Joseph Fétis, aus London Henry Chorley, Meyerbeer ist gekommen und Robert Franz,

Weimar um 1850

Franz Liszt

Carolyne von Sayn-Wittgenstein mit ihrer Tochter Marie

Matinee bei Liszt

Richard Wagner

Stufenweg durch den unteren Teil der Altenburg

*Musiksalon mit dem Riesenflügel und Mozarts Klavier,
Bibliothek und Musiksalon mit Beethovens Flügel
in der Altenburg*

Der Midasblock

Dingelstedt und Gutzkow, Bettina von Arnim mit ihren Töchtern, Adolf Stahr und seine Lebensgefährtin Fanny Lewald, Hans von Bülow und Joseph Joachim. Nur die Stadt Weimar, sie ist nicht gekommen. Die Großherzogin Maria Pawlowna hat großzügig die vielen übriggebliebenen Eintrittskarten aufgekauft und verschenkt.

Trotzdem! Liszt hat es gewagt, dem Revolutionär, dem in Ungnade Gefallenen, dem verbannten Genie ein Asyl, eine Heimstatt für sein Werk zu bieten. Er hat es vermocht, moderne, zeitgenössische Musik zur Geltung zu bringen.

Welche Revolution auf dem Gebiet der Oper! Ein Musikdrama hat Leben gewonnen, eine Tragödie, gestaltet in Musik. In einheitlichem Fluß strömen Melodie und Worte dahin, ohne durch Gesangsnummern oder Rezitative zerrissen zu werden.

«Mit ‹Lohengrin› nimmt die alte Opernwelt ein Ende. Der Geist schwebt über den Wassern, und es wird Licht», so bekennt Liszt hingerissen.

Der Kritiker Speidel aus Wien aber urteilt: «Das Vorspiel ist mit einer gefüllten Maikäferschachtel zu vergleichen», und Otto Gumprecht schreibt für die Berliner Presse: «Die Musik im ‹Lohengrin› ist ein frostiges, Sinn und Gemüt gleichmäßig erkältendes Tongewinsel.» Der Kritiker der «Augsburger Allgemeinen Zeitung» meint: «Wagner hat wieder eine Oper geschrieben, in der er seinen ‹Rienzi› an wüstem Lärmen noch überboten hat.»

In Protest jagen die Federn auch in der Altenburg übers Papier. Liszt ist nicht nur ein Künstler, er ist ein Mann von Welt und weiß, was not tut, um Erfolg zu erringen. Der Kampf muß in der Presse ausgefochten werden. Joachim Raff schreibt allein drei Kritiken, eine für die «Leipziger Illustrierte», eine für die Brockhausische Zeitung, die dritte wird man noch irgendwo lancieren. Auch die Fürstin verfertigt einen enthusiastischen Artikel, und Liszt selber würdigt den «Lohengrin» in einer großen Abhandlung für die Pariser Presse und für die «Augsburger Allgemeine».

Er setzt es durch, daß in derselben Spielzeit noch fünf weitere Aufführungen in dem kleinen Weimarer Theater stattfinden! Sonderzüge aus Halle, Naumburg, Erfurt, Gotha rollen heran mit Besuchern für die umstrittene neue Oper. «Denn», so meint Liszt, «es handelt sich nicht bloß darum, Sänger und Orchester zu ermahnen und der dramatischen Revolution dienstbar zu machen, der Feind steckt auch sehr wesentlich in den faulen und gleichzeitig tyrannischen Angewohnheiten der Zuhörer.»

Die stärkste Wirkung jedoch hat die Aufführung auf den Verbannten in Zürich. Er schaut in diesen Augusttagen sehnsüchtig nach dem einsamen Haus auf dem Berg über Weimar, wo sein Werk Leben gewinnt, ohne daß er dabeisein kann. Vor allem aber wecken die Berichte in ihm Mut für neue künstlerische Pläne. «Erst an dem vollendeten ‹Tannhäuser› und an dem vollendeten ‹Lohengrin›», so bekennt er, «bin ich mir über eine Richtung vollkommen klargeworden, in die mich unbewußter Instinkt trieb. Ich entwarf und vollendete in fliegender Schnelle eine Dichtung, an deren musikalische Aufführung ich bereits Hand legte. Für die sofort zu bewerkstelligende Aufführung hatte ich einzig und allein Liszt und diejenigen meiner Freunde im Auge, die ich nach meinen letzten Erfahrungen unter dem lokalen Begriff ‹Weimar› zusammenfassen durfte.»

Dieses neue Werk ist «Siegfried».

Mitte Oktober 1850 begleitet Liszt seine kleine Familie wieder nach Eilsen, dem Bad, das den Rheumatismus der Fürstin lindert. Joachim Raff bleibt als Hüter im Hause zurück. Er komponiert seine erste Oper, den «König Alfred», auf der Altenburg.

In Eilsen erkrankt Prinzessin Marie, die Liszt zärtlich

Magnolette nennt, lebensgefährlich an Typhus. Und als sie wieder aufsteht, wird die Fürstin von der gleichen Krankheit erfaßt. Nur schwer macht sich Liszt von den beiden geliebten Kranken los, weil er zum Geburtstag der Großherzogin Maria Pawlowna Raffs neue Oper aufführen will.

. Am 22. Januar 1851 morgens um zehn Uhr kehrt er für kurze Zeit nach Weimar zurück. Das Blaue Zimmer wird an diesem Mittwoch von der sorgenden Kostenecka geheizt, und am Abend sitzt Liszt dort an seinem Schreibtisch und schreibt voller Sehnsucht nach Eilsen: «Da bin ich nun wieder in diesem Zimmer, an diesem Tisch, an diesem Fenster, wo ich Sie so tausendmal gesehen habe — so viel leiden, so viel weinen, so viel lieben! Alle Gegenstände, die mich umgeben, sind durchtränkt von Ihnen und sind von unbezähmbarer Beredsamkeit. Es hat keine Gefahr, daß man mich von diesen Mauern losreißt. Ihr Äußeres ist ja ziemlich häßlich, aber innen haben sie eine Art ernsthaften Frieden und ein wohltuendes Lächeln, den Sie ihnen vermittelt haben. Mit welcher Freude habe ich meine grünen Büchelchen, Ihr Geschenk, wiedergesehen, das Geschichtswerk, das ich wahrscheinlich nie lesen werde, das aber auch ein schönes Geschenk von Ihnen ist, und die Bibel und all die andern Geschenke von Ihnen. Wirklich, wenn ich manchmal so ins Nachdenken komme, frage ich mich, ob Sie mir nicht auch einmal meine Augen und meine Hände geschenkt haben und ob Sie nicht jeden Abend die Schläge meines Herzens bewegen — so viel haben Sie für mich getan und tun es noch unaufhörlich für mich.»

Und ebenso überschwenglich tönt es zurück aus Eilsen: «Nicht mehr mit dem Namen Liebe kann ich diese leidenschaftliche, heftige und berauschende Zuneigung bezeichnen, die mich mit unvergänglichen und unzerreißbaren Banden an Dich knüpft ... Ich glaube, daß die Liebe der letzte Antrieb beim Aufblühen unserer Seele sei. Sie ist auch der letzte, zu dem ihre eigenen Kräfte reichen. Aber es gibt noch andere Regionen, zu denen sie nur geführt von einer erhabenen Hand gelangt, das ist das Gebiet der Dankbarkeit. Ich weiß, daß ich nur noch Taten der Dankbarkeit zu verrichten habe, gegen Gott und gegen Dich – Dich, Dich, Dich!»

Liszt hält das gelbliche Blatt in der Hand und schaut zu den düsteren Fichten und gegen den vor ihm aufsteigenden Berghang vor seinem Fenster. «Die Liebe färbt und nuanciert sich im menschlichen Herzen ins Unendliche. Ihr eigentliches Element aber ist das Mysterium», so schreibt er zurück. «Welche andere Frau wäre nicht schon in den ersten Tagen zusammengebrochen, und Sie ertragen nun fast schon drei Jahre dieses glorreiche Martyrium der Liebe!» Und er schickt mit den ersten Veilchen aus dem Garten der Altenburg ein Stück von dem Palmenzweig mit, der in der Messe zu Palmarum verteilt worden ist.

Im Frühjahr 1851 droht der Altenburg ein Unheil. Der Besitzer des Hauses, Herr Stock, verdient nicht genug an der Mieteinnahme. Er bedenkt, daß dieses riesige Grundstück eigentlich schlecht genutzt ist. Den Park am Haus zwar kann man den Herrschaften nicht nehmen – aber das Wäldchen unterhalb der Chaussee! Die Herrschaften können ja ebensogut die Chaussee benutzen. Man könnte das Wäldchen zum Teil abholzen und dort eine Bierwirtschaft einrichten, die zweifellos florieren würde – so nahe der Stadt und doch außerhalb, und dazu der wunderbare Blick! Es würde nicht viel Unkosten machen: einfache Holzbänke, wie sie in einem Gartenlokal üblich sind, eine Bretterbude zum Ausschank, ein Rost für die Bratwürste. Alles günstiger als das Schießhaus und die Gartenwirtschaft «Zur Erholung» weiter oben an der Jenaer Straße, in der einmal Musäus verkehrte. Ein glänzender Plan! Die Mieter werden nichts dagegen haben; sie benutzen den unteren Gartenteil sowieso nicht. Sie müssen nur in Kenntnis gesetzt werden.

Aber Herr Stock erfährt zu seinem Erstaunen, daß Herr Doktor Liszt sehr viel dagegen hat und sich diesen Plänen gegenüber höchst ablehnend verhält. Das Wäldchen, die Vorhalle der Altenburg, ist in Gefahr! Die ruhige Zone, in die man wie in einen heiligen Bezirk eintreten kann, wenn man die Ilmbrücke überschritten und alles Weimarische hinter sich gelassen hat; wo man seine Gedanken beim Hinaufgehen auf die Anforderungen richten kann, die in der Altenburg auf einen warten, und sich andererseits beim Hinabsteigen wieder loslösen kann von den Gesprächen und den Szenen mit der Fürstin und von der alles fordernden schöpferischen Arbeit. Nein, das Wäldchen darf nicht abgeholzt werden! Wo wäre die Ruhe, wenn dort bis tief in die Nacht hinein die Weimarer ihr Bier tränken! Liszt entschließt sich, die Angelegenheit bei der Großherzogin vorzubringen.

Maria Pawlowna ist sogleich voller Verständnis. Das Wäldchen der Altenburg? Oh, sie weiß, wie mühsam ihr Schwiegervater, der Herzog, es einst aufgeforstet hat. Bei niemandem sind Karl Augusts und Goethes Pläne zur Park- und Landschaftsgestaltung Weimars so gut aufbewahrt wie bei ihr. Aber dann ist da auch noch etwas Persönliches. Unvergeßlich klingt ihr Seebachs ein wenig knarrende Stimme im Ohr: «Votre Altesse Impériale, l'Altenburg!» Von dort oben, über die noch kleinen Fichten hinweg, hat sie vor siebenundvierzig Jahren zum erstenmal auf Weimar geblickt. «L'Altenburg» — ein Gartenlokal? Nein! Und so entschließt sich die Großherzogin, den Berg mit seinen acht Äckern selber anzukaufen. «Der in Frage seyende Platz», der seit 1783 den Herzog und Goethe beschäftigt hat, kommt wieder in sachsen-weimarischen Besitz! Graf Vitzthum

benachrichtigt Herrn Doktor Liszt im Auftrag der Großherzogin, daß er sich um das Wäldchen nicht mehr zu be-
unruhigen brauche.

Dieser Monat April ist sowieso ein fürchterlicher Monat für
Liszt. Er pendelt zwischen Weimar und Bad Eilsen hin und
her, und bei der Rückkehr überfallen ihn Aufgaben und
Pflichten doppelt und dreifach: Verhandlungen über die
Goethestiftung, Verhandlungen über Auftrag und Honorar
an Wagner, Verhandlungen über den Opernspielplan, Verhandlungen wegen neuer Engagements und Pensionierun-
gen, wegen Anschaffung neuer Instrumente und neuer
Orchesterstühle. Proben und Aufführungen von Mozarts
«Don Giovanni», Beethovens «Fidelio», Donizettis «Favo-
ritin», Meyerbeers «Robert der Teufel», Joachim Raffs
«König Alfred»; drei Konzerte im Weißen Saal des Schlosses
für den Hof, ein Konzert im Stadthaus mit der sympho-
nischen Dichtung «Harold in Italien» von Hector Berlioz.
Drei Übungsstunden wöchentlich mit der Großherzogin,
weitere mit Schülern aus der Stadt. Dann zu Hause die
Korrekturen am «Chopin» und an der Partitur einer ersten
«Ungarischen Rhapsodie», Unterhandlungen wegen der
Drucklegung des «Lohengrin»-Artikels. Überdies Einladun-
gen zur Hoftafel, Begrüßung durchreisender Fremder,
Empfang von Besuchern, Besorgungen für Eilsen und jeden
Abend einen ausführlichen Bericht dorthin.

Liszt liebt Geschäftigkeit und Unruhe. Sie befriedigen
sein Bedürfnis nach Bewegung und Aktivität, sie sind ihm
in gewisser Weise Ersatz für den Triumph seiner Virtuosen-
reisen, die er aufgegeben hat, um Ruhe zu finden. Ruhe, die
er nicht findet, weil Unruhe ihm unentbehrlich ist, Unruhe,
die ihn von sich selber ablenkt.

In dieser Zeit entsteht «Mazeppa», die symphonische
Dichtung von dem Kosakenjüngling, den man, auf ein wildes

Pferd gebunden, in die Steppe jagt. Vor zwanzig Jahren schon hat er eine gleichnamige Etüde komponiert. In Woronince spielte er sie der Fürstin vor, und daraufhin sagte sie: «Jetzt weiß ich, daß Sie ein Genie sind und daß Sie etwas anderes tun müssen als bloß immer spielen. Komponieren Sie!»

Ein greller Beckenschlag löst wie ein Peitschenhieb den rasenden Lauf aus. Galoppierende Triolen markieren den wilden Ritt des gehetzten Tiers mit dem Gefesselten auf seinem Rücken. Die Ebene dröhnt unter den schlagenden Hufen. Dem Gefesselten schwinden die Sinne. Verstümmelt kehren die Themen wieder, als tanzten Lichter vor seinen Augen. Da bricht das Pferd nieder und verendet. Ein klagendes Andante malt das Stöhnen des unter dem Tier begrabenen Menschen. Verlassen in der unendlichen Steppe, dem sicheren Tode preisgegeben! Die Stimmen der Instrumente werden schwächer und schwächer — nichts bleibt übrig als ein kaum noch hörbarer Ton des Kontrabasses und des Violoncellos. Doch dann! Geigen setzen ein mit zartem Dur-Dreiklang — geschieht ein Wunder? Rettung? Trompetenrufe, ganz leise wie aus weitester Ferne, dann stärker, immer stärker werdend. Unerwartet nahen die Männer Peters des Großen. Sie finden ihn, binden ihn los, führen ihn heim. Helle Fanfaren, Posaunenstöße — in jubelndem Triumphgesang endet das Werk.

Liszt spielt und schreibt und probiert und hört und schreibt wieder. Er lehnt sich zurück und verschränkt die Arme hinter dem Kopf und blickt durch das Fenster in die schwarze Nacht draußen.

Die Verhandlungen um die Goethestiftung haben Liszt mit Professor Adolf Stahr zusammengeführt. Stahr, der intime Freund der Schriftstellerin Fanny Lewald, hält sich in Weimar auf, um ein Buch über Weimar zu schreiben, und

Liszt lädt ihn ein, auf der Altenburg sein Gast zu sein und dort in Ruhe zu arbeiten. Und so wächst auch dieses Werk unter dem Dach der Altenburg. Wie einst Goethe in der Augustnacht 1781 erlebt nun auch Adolf Stahr, wie nah die Altenburg der Stadt Weimar ist und wie fern. Aus solcher Sicht beschreibt er das zeitgenössische Weimar und den Geist von Weimar, der sich für ihn in Liszt konzentriert, in ihm und in seinem Wirken für Wagners Musik. Er beschreibt den Park, die Altenburg und das Webicht, und Goethe und Karl August hätten sich über den Satz gefreut: «Weimar ist eigentlich ein Park, in welchem eine Stadt liegt.» Er erzählt auch die Episode, wie im Webicht am Rande der Altenburg vor mehr als vierzig Jahren zwei preußische Offiziere, zum Letzten entschlossen, mit klopfendem Herzen auf Napoleon gewartet haben.

Auch Fanny Lewald, die kluge, freisinnige Frau, wohnt nun auf der Altenburg. Die Gespräche kreisen um Kunst und Frauenemanzipation und liberale Ideen. Sie sprechen von Wagner und von den revolutionären Dichtern Gottfried Kinkel, Heinrich Heine und Georg Herwegh; für sie sind es alles Helden. Liszt fühlt sich bereichert. Für die Weimarer aber ist die Tatsache, daß das Paar Stahr — Lewald auf der Altenburg wohnt, ein neuer Grund, verächtlich die Mundwinkel zu verziehen.

Liszt ist in dieser Zeit sowieso keineswegs einsam auf der Altenburg. Ein Kreis junger Menschen hat sich um ihn gebildet. Da ist Joseph Joachim, der ungarische Geiger, der mit seinen achtzehn Jahren durch Liszts Vermittlung bereits Konzertmeister am Theater ist; Liszt liebt den begabten Landsmann sehr. Da ist Bernhard Coßmann, der Violoncellist, der von Liszt für «Lohengrin» engagiert worden ist; da ist Sascha Winterberger, der bei Liszt Stunden nimmt; da ist Szerdahély, ebenfalls Ungar, den Liszts Persönlichkeit gefangenhält; da ist Joachim Raff, für Liszt arbeitend und von Liszt lebend.

Allabendlich ertönen die Trios und die Quartette auf der Altenburg. Es sind auch Frauen dabei — junge, hübsche, musikalische Frauen!

Und Carolyne in Eilsen spürt, feinfühlig und eifersüchtig, daß der Mann, den zu besitzen sie alles geopfert hat, ihr keineswegs allein gehört. Sie bestürmt ihn mit doppelter Leidenschaft: «Ich küsse Deine Hände, indem ich vor Dir niederknie, meine Stirn bis zu Deinen Füßen neige, meine Finger wie die Orientalen auf meine Stirn, meine Lippen und mein Herz lege, um Dir zu sagen, daß mein ganzer Verstand, der ganze Atem meiner Seele, mein ganzes Herz nur tätig sind, Dich zu segnen, Dich zu verherrlichen und Dich zu lieben bis zum Tode und darüber hinaus.»

Liszt liest solche Briefe im Blauen Zimmer, wenn er endlich allein ist, und dann bleibt wohl sein Blick nachdenklich hängen an Dürers Kupferstich «Melancholie», dem einzigen Bild an der Wand.

Am 19. Mai reist Liszt wieder zu Carolyne, während Stahr und Fanny Lewald weiter auf der Altenburg wohnen bleiben. Bald bekommen sie Gesellschaft: ein neuer Schüler Liszts zieht ein. Es ist Hans von Bülow, der mit seinen widerstrebenden Eltern lange um die Erlaubnis gekämpft hat, Musiker zu werden, und es endlich durch Liszts Vermittlung erreicht hat. Am 17. Juni schreibt er den ersten Brief aus der Altenburg an seinen Vater:

«Geliebter Vater! Ich befinde mich nun schon gegen acht Tage in Weimar. Wohnungen für jemand wie mich, möblierte Zimmer, waren gar nicht aufzutreiben, ich mußte daher im Gasthof wohnen bleiben, bis ich endlich, durch Raffs Zureden bewogen, mich in Liszts Wohnung auf der Altenburg einquartierte. Dort habe ich im zweiten Stock des

Nebengebäudes vier schöne Zimmer zu meiner Disposition, begnüge mich aber eigentlich nur mit einem, in welchem neben meinem Bette ein zum Studieren noch brauchbarer Flügel steht. Liszt selbst ist nämlich verreist, nach Eilsen in Bückeburg, wo die Fürstin Wittgenstein sehr krank darniederliegt. Als ich hier ankam, erwartete man Liszt Anfang Juli zurück; doch die letzten Nachrichten lauten anders: Liszt hat sich seine sämtliche Garderobe nach Eilsen senden lassen, ein Beweis, daß noch nicht auf baldige Rückkehr zu rechnen ist. Von meiner Ankunft und meinem Einzug in seine Wohnung ist er unterrichtet und hat wegen meiner weitläufig an Raff geschrieben. Ich begebe mich jedes eigenen Willens, um mich ganz ‹in die Schule der école de Weimar› nehmen zu lassen, wie Liszt an Raff schreibt. Ich spiele täglich acht bis zehn Stunden Klavier. So habe ich in diesen wenigen Tagen ein unbändig schweres Trio von Raff mir eingepaukt, und morgen abend werde ich es auf Liszts gutem Piano vor einigen Zuhörern mit Joachim und Coßmann loslassen. Unter den Zuhörern werden unter anderem die Demokraten Professor Stahr und Fanny Lewald sein, die beide für längere Zeit auch hier ihren Wohnsitz genommen haben.

Siehst Du, lieber Vater, das ist mein Tun und Treiben vorläufig: Ich stehe nach sechs Uhr auf und setze mich, noch im tiefsten Negligé, ans Klavier und fange an, mit sehr viel Seelenruhe zu hämmern. Das Frühstück macht mir Liszts Köchin zurecht. Liszts Diener besorgt mir die Reinigung von Stiefeln und Kleidern. Bis um ein Uhr bleibe ich daheim. Gegen vier Uhr steige ich gewöhnlich wieder in meine Höhle hinauf und musiziere bis gegen neun Uhr, wo es in die Stadt geht zum Abendessen. Zehneinhalb Uhr bin ich meist wieder zu Hause und phantasiere dann am Klavier bei Mondschein oder trübem Himmel — ohne Unterschied. Da kein zweites Exemplar des Hausschlüssels existiert, so bin ich genötigt, über eine zerfallene Mauer in den Hof zu steigen und dann durch ein von außen zu öffnendes Schiebefenster in das Haus selbst zu klettern.»

Mitte Oktober findet Bülows Einsiedlerleben im Nebenhaus der Altenburg ein Ende:

«Ich habe Dir heute die längst erwartete frohe Botschaft zu melden», so berichtet er am 15. dem Vater, «daß mein Schutzherr und Meister Liszt endlich vorigen Sonntagabend in gutem Wohlbefinden hier eingetroffen ist. Ich soupierte bei ihm mit Joachim. Die Fürstin sah sehr elend aus, hat sich aber merkwürdigerweise in den wenigen Tagen schon wunderbar erholt. Ihre vortreffliche Disputierkunst und Beredsamkeit hat sie sich bewahrt. Ich zweifele, daß es irgendeine Frau von solch erstaunlichen Kenntnissen und solch penetrantem, schnellem Verstande gibt. Ich werde nun wahrscheinlich das Amt des Hausdisputators übertragen bekommen, da ich besser im Französischen bewandert bin als Raff.

Gestern abend war ich wieder allein bei dem Souper und diskutierte mit der Fürstin bis in die Nacht hinein; aber abbrechen konnte ich nicht; der ermüdete Liszt erlöste mich endlich davon, indem er mich aufforderte zu spielen.»

Liszt nimmt wiederum den Kampf auf, Weimar zu einem Mittelpunkt neuer Musik zu machen. Es ist ein harter Kampf: Keinerlei amtliche Befugnisse, keine Vollmachten, nicht einmal ein Vetorecht stehen ihm zur Verfügung; nur seine feurige Energie, seine bezwingende Liebenswürdigkeit, die Überlegenheit seiner Persönlichkeit.

Und sein Ziel?

«Ich will das alte Weimar lebendig erhalten», sagt Großherzog Karl Alexander, der noch unter Goethes Augen herangewachsen ist und 1853 an die Regierung kommt, und so mit ihm die Stadt.

«Ich will ein neues Weimar schaffen», sagt Liszt, «im Geiste Goethes voranschreiten!» Aber die Altenburg steht einsam auf dem anderen Ufer. Nur die Jungen und die Fremden zieht es dorthin. Sie aber sind stolz darauf, zu Liszt zu gehören.

«Wir Altenburger», so berichtet Bülow humoristisch seinen Eltern, «wir Altenburger tragen jetzt auch eine Uniform: Liszt, Raff, Joachim und ich tragen jetzt alle die gleichen Anzüge! Der Pfiff der Königsfanfaren aus dem ‹Lohengrin› ist unser Erkennungszeichen.»

Im Frühling 1852 gesellt sich abermals ein neuer Gast hinzu. Es ist der Neffe des Malers Peter Cornelius, dessen Nibelungenzeichnungen Goethe einst bestaunte. Er heißt wie der Onkel: Peter Cornelius. Und er bemerkt mit Entzücken, daß die Hecke, die seinen Namen trägt, gerade in voller Blüte steht. Ein zarter goldener Schleier liegt über dem knorrigen Holz. Mit seinen achtundzwanzig Jahren ist er den anderen Schülern gegenüber schon ein gereifter Mann und stellt so für den Kreis eine große Bereicherung dar. Er ist frommer Katholik und wird dem Haus wie Hans von Bülow bald ein wirklicher Freund. In seinem Tagebuch hat er seinen ersten Besuch auf dem Berg geschildert:

«Als ich in der Altenburg die Stufen zu Liszts Wohnung erstieg, wandelte mich die abergläubische Idee an, gerade Stufenzahl gut — ungerade Zahl schlecht. Und, o weh, es waren einundzwanzig Stufen! Ein gebrochen Deutsch sprechendes Kammermädchen übernahm die Meldung. Ein Kammerdiener erschien, der mich nach vier Uhr, nach dem Diner, vertröstete. Ich ging die unglücklichen einundzwanzig Stufen wieder hinab — und blieb ein wenig besinnlich unten vor der Haustüre stehen. Flugs öffnete sich oben das Fenster, und der Kammerdiener meinte, er könne den Herrn nicht mehr sehen. Flugs trat ich ein wenig vor und gab mich zu erkennen, und er winkte mir herauf. Oben eintretend und einen grünen Schirm passierend, trat ich gerade auf Liszt zu. Er bot mir freundlich die Hand. Ihn zu porträtieren würde mir jetzt schlecht gelingen; vielleicht vermag ich es, wenn er in den verschiedenen Stimmungen gesessen hat. Soviel nur jetzt: Selten ist es mir noch vorgekommen, daß mir in künstlerischen Nobilitäten gleich der entsprechende Gesichtsausdruck entgegengetreten wäre. Liszt war fast der erste und einzige, dessen Physiognomie nicht mit dem Bilde in Konflikt geraten wäre, was mein Inneres sich schuf.

Bei einem fortgesetzten kurzen Gespräch mischte sich eine wohlklingende Damenstimme durch eine offene Tür hinein mit der Frage, ob ‹Benvenuto Cellini› nicht heute gegeben würde. Die wenigen Worte wurden französisch gesprochen.»

Das war am 20. März 1852.

Im Sommer dieses Jahres rückt endlich die Scheidungsangelegenheit der Fürstin ein wenig weiter. Fürst Nikolaus von Sayn-Wittgenstein kommt persönlich nach Weimar; es wird ein förmlicher Vertrag aufgesetzt, und dieser wird im Beisein des Oberhofmeisters Baron von Vitzthum von dem Fürsten, der Fürstin, der Prinzessin und von Liszt unterzeichnet: Im Falle einer Wiederverheiratung der Fürstin erhält der Fürst ein Siebentel des Vermögens, der gesamte übrige Besitz fällt der Prinzessin Marie zu. Die Fürstin erhält zweihunderttausend Rubel in bar. Die Großherzogin übernimmt die Vormundschaft für Prinzessin Marie, die aus Gründen der Moral in eine Wohnung im Schloß übersiedeln soll.

Allabendlich geht nun die junge Prinzessin mit ihrer Erzieherin Miß Anderson von der Altenburg in die Bastille am Schloß hinab, um dort zu schlafen.

Mit Genugtuung bemächtigt sich der Klatsch in Weimar dieser Vorgänge. «Der russische Fürst ist selber da!» — «Fürst Nikolaus hat seine Tochter besucht in dem Hause, in dem seine Frau mit ihrem Liebhaber lebt!» — «Er hat sogar im Saal eine Gesellschaft mitgemacht!» — «Zu dem Tiefurter Kantor, der zu Liszts Vertrauten gehört, hat er gesagt: ‹Sie war zu gut für mich, ich zu unbedeutend für sie.›» — «Liszt komponiert bereits eine prunkvolle Musik für die Hochzeit, während Fürst Nikolaus noch da ist!»

Dies jedenfalls ist wahr: Liszt schreibt eine rauschende, jubelnde, fremdartige Polonäse, nach deren Klängen er, der Ungar, die geliebte Polin aus Rußland vor einem langen Zug von Gästen über die Hügel der Altenburg triumphierend heimführen will. Die symphonische Dichtung der «Festklänge» entsteht in diesen Wochen im Blauen Zimmer, in das endlich nur Sonne zu strahlen scheint.

Die Altenburg ist nicht mehr einsam. Seit der Aufführung des «Lohengrin» kommen unaufhörlich Gäste. Die vielen Wagen, die vielen Fußgänger, die noch vor drei Jahren an ihr vorüberfuhren, vorübergingen, sie halten an und kehren ein. Liszts Mutter kommt für längere Zeit aus Paris und gibt dem Familienleben Gewicht und Sicherheit. Die jungen Schüler, die zum Teil auf der Altenburg wohnen, verbreiten Fröhlichkeit. Im Oktober siedelt sich für ein Vierteljahr die sprühende Bettina von Arnim mit ihren beiden Töchtern Armgart und Gisela und deren jungem Freund Herman Grimm in Weimar an. Sie sind ständig Gäste in dem Haus auf dem Berg. Bettina, einstmals enthusiastische Freundin Goethes und Beethovens, die furchtlose Demokratin, ist schon in den Siebzigern. Aber noch immer ist wirbelndes Leben um sie her. In ihren temperamentvollen Erzählungen lebt Goethes Bild wieder in der Altenburg auf. Und Liszt lauscht. Auch Karl Augusts derbe Gestalt wird durch ihre Berichte wieder ganz gegenwärtig. Sie sei einmal, so erzählt sie, mit ihm auf die Jagd gegangen, in einer klaren Schneenacht. Da sei im Dämmer ein prachtvoller Hirsch aus dem Wald getreten. Karl August habe die Flinte gehoben und gezielt, sie aber plötzlich wieder sinken lassen und gesagt: «Ein Lump, wer auf solche Schöpfung Gottes schießt.»

Liszt, die Fürstin, Bettina — drei sprühende Geister in einem Kreis verehrender Jugend! Bettina schreibt gerade ihr mahnendes Buch «Gespräche mit Dämonen». Im Saal der Altenburg liest sie daraus vor: «Revolutionen sind nicht Verbrechen, sondern Folgen von Verbrechen.» Und alle denken an den Verbannten in der Schweiz.

Eines Oktoberabends sitzt Liszt im Ecksalon und spielt mit Magnolette Schach, Miß Anderson schaut zu, die Fürstin schreibt. Da ertönt unten der Pfiff der Königsfanfaren. Liszt hebt den Kopf. Aufs neue der Pfiff. Liszt springt auf. «Bettina mit ihrer Gesellschaft», vermutet er, zieht die Vorhänge zur Seite und steckt den Kopf in die Nacht hinaus.

«Eljen, Franz Liszt! Dürfen wir noch heraufkommen?»

Und dann drängen sie herein, Bettina, ihre beiden Töchter Armgart und Gisela mit dem Freund Herman Grimm; dazu Cornelius, Bülow und Joseph Joachim.

«Wir waren in Tiefurt», erklärt Bettina, indem sie ihren Schal von den Haaren nimmt, «und da sahen wir bei euch Licht. Es ist ja eine Sünde, ihr sitzt hier drin, und draußen ist der herrlichste Mondschein!» Sie geht impulsiv auf die Lampe zu und bläst sie aus. Nach einem Augenblick tiefsten Dunkels leuchtet der Mond mit unirdischem Glanz ins Zimmer. Alle schweigen bei dem unerwarteten Eindruck. Durch das Fenster nach Westen sieht man die runde, leuchtende Scheibe am Himmel stehen.

«Jetzt kann man Gespräche mit Dämonen führen», flüstert Bettina.

«Es ist, als führen wir in einem Wolkenschiff geradewegs auf den Mond zu», meint die Märchenschreiberin Gisela.

«Und die drei Könige dort haben wir an Bord», ergänzt Cornelius und deutet auf das Bild der Heiligen Drei Könige, das an der Wand mitten im Mondglanz hängt.

«Wie der mittlere aufleuchtet!» jubelt Bettina.

«Die drei Könige beim Anblick des Lichts», sagt Peter Cornelius schwärmerisch. Und dann rezitiert er leise:

> «O Menschenkind, halte treulich Schritt,
> die Könige wandern, o wandre mit!
> Und fehlen Weihrauch, Myrrhen und Gold,
> schenke dein Herz dem Knäblein hold!»

Es ist ein Gedicht, das er schon früher beim Anblick des Bildes gemacht hat.

Liszt tritt bewegt auf den jungen Freund zu und legt ihm den Arm um die Schulter.

Nun naht wieder der Winter. Stürme fegen um das Haus, Nebel aus dem Ilmtal steigen Tag und Nacht auf und bringen Kälte und Nässe. Aber all das wird in der Altenburg inmitten der Gespräche, des Lachens, des Musizierens, der Feste kaum bemerkt. Abend für Abend leuchten die erhellten Fenster des Saals und der beiden Ecksalons durch die frühe Dunkelheit über die Stadt hinaus.

Im November 1852 veranstaltet Liszt eine Berlioz-Woche in Weimar. Der Freund ist persönlich dazu aus Paris gekommen. Am 17. und 21. November wird unter Liszts Leitung die Oper «Benvenuto Cellini» wiederholt, am 20. November dirigiert der berühmte Gast selber seine Symphonie «Romeo und Julia» und die dramatische Legende «Fausts Verdammung».

Die Berlioz-Woche wird ein großer Erfolg — für Berlioz und für Liszt. Selbst die «Weimarische Zeitung» gibt zu: «Berlioz hat mit seinen Werken, ebenso wie Wagner, eine bleibende Stätte in Weimar erobert.» Der temperamentvolle

Romane mit dem schmallippigen Mund, der großen ge-
bogenen Nase und den widerspenstigen grauen Locken wird
lebhaft gefeiert — am stürmischsten auf der Altenburg.
Jeden Abend sind Gäste geladen, um den Gast zu ehren. Für
den 22. November hat sich die Fürstin etwas ganz Besonderes ausgedacht; sie plant eine «Goethe-Soiree». Sie möchte
nur Menschen laden, die Goethe noch gekannt haben.

«Ich selbst habe nicht viel Glück mit ihm gehabt», sagt
Hector Berlioz. «Als ich ihm in glühender Verehrung vor
einem Vierteljahrhundert meine Faust-Szenen schickte, hat
er gar nicht geantwortet. Nun sehe ich an meiner neuen
‹Faust-Symphonie›, daß er damals mit seiner Ablehnung
nicht ganz so unrecht gehabt hat. — Wer kommt denn
alles?»

«Eckermann geht ja leider gar nicht mehr in Gesellschaft,
aber Goethes Enkel Walther hat zugesagt. Er ist auch
Komponist — sonst hätte er wohl gleich abgelehnt. Und dann
der Schauspieler Genast; er hat noch von Goethe persönlich
Unterweisung für die Rolle des Faust erhalten. Dann der uns
sehr befreundete Maler Friedrich Preller, der als Jüngling
Wolkenbilder für den Alten zeichnen mußte. Goethes Sohn
August ist in seinen Armen in Rom gestorben, und ein Jahr
später hat er dann den Sarg des Vaters mit zu Grabe getragen. Kennen Sie nicht seine erschütternde Zeichnung
‹Goethe auf dem Totenbett›?

Und dann erwarten wir Mademoiselle Luise Seidler. Sie
hat sowohl den Alten selbst wie seine liebliche Enkelin
porträtiert. Als sie noch jung war, muß sie sehr hübsch
gewesen sein — und so hat der alte Herr sie ein wenig hofiert.
Sie soll jetzt meiner Tochter Kunstgeschichtsstunden geben.
Ja, und Bettina mit ihrem Anhang kennen Sie ja schon.
Dann ist noch Frau Amélie von Groß gebeten, sie hat als
geborene Seebach ihre Kindheit in diesem Haus zugebracht,
ist eine gewandte Schriftstellerin und innig befreundet mit

Frau von Goethe. Sie sehen, Monsieur Berlioz, das ist Weimar: Goethe — Goethe — Goethe!»

Am Abend füllen sich Saal und beide Ecksalons mit Gästen. Man steht zunächst zwanglos umher, hält die Teetasse in der Hand und ißt fremdartiges Käsegebäck dazu. Man plaudert über den «Cellini», über «Romeo und Julia», über die Pressestimmen.

Die Prinzessin, nun fünfzehn Jahre alt, in einem rosa Seidenkleid und einem Kranz aus exotischen rosa Federchen im schwarzen Haar, reicht mit Miß Anderson Tee und Gebäck herum. Sie hat noch immer etwas Scheues, dabei sieht sie aus wie eine leibhaftige Märchenfee. Raff, Bülow und Joachim, die Zwanzigjährigen, machen ihr den Hof — «nach Noten», wie Liszt scherzend bemerkt. Er als Hausherr geht mit seinen leichten eleganten Schritten lebhaft von Gruppe zu Gruppe. Berlioz steht mit Preller und Genast am Kamin. In der Sitzecke neben der Fürstin haben Fräulein Seidler, Amélie von Groß und Herr von Goethe Platz genommen.

«Sie sind nun schon die dritte Generation Goethe, die in diesem Hause einkehrt», sagt die Fürstin liebenswürdig zu Walther von Goethe, «denn sowohl Ihr Herr Großvater wie Ihr Herr Vater haben hier ja wohl verkehrt? Es war das erste, was ich erfuhr, als ich dieses Haus betrat.»

«Ja», sagt Walther von Goethe leise. «Ja, sie waren beide mit den Seebachs bekannt.» Nach diesem Wortschwall betrachtet er verlegen seine Hände.

«Bekannt? Befreundet mußt du sagen», fällt Amélie lebhaft ein. «Wie oft haben wir mit deinen Eltern hier oben getanzt, Walther! Wie vergnügt waren wir gerade in diesem Saal! Ich entsinne mich noch, da war ich wohl zwölf Jahre alt, und der Apapa — so nanntet ihr ihn doch? — kam eines Sonntags angefahren, um eine Visite zu machen. Er war länger verreist gewesen, am Rhein und am Main, und wir

Kinder sahen ehrfürchtig vom Schlafzimmer aus seinem Wagen nach. Er fuhr mitten in ein graues Meer von Nebel hinab. Es ist mir unvergeßlich.»

Bettina steht mit den Töchtern und Herman Grimm bei Berlioz am Mittelfenster. Liszt ist zu ihnen getreten. Er überragt die Gruppe um Haupteslänge.

«Musik», sagt Bettina gerade enthusiastisch, «Musik bringt die Skala der Seele auf ihre reinste Temperatur. Sie befruchtet die Sinne und befähigt sie zu dem, was der Geist noch nicht erfaßt.»

«Ja», stimmt Liszt zu, «durch Musik wird alles verständlich, Musik kann alles ausdrücken. Sie nimmt Farbe und Form und Wortsinn in sich auf. Ich glaube, daß eine Neugeburt der Musik möglich ist durch ihr enges Bündnis mit allen Künsten.»

«Ist eine Neugeburt denn nötig?» fragt Herman Grimm. «Wir haben doch Bach und Mozart und Beethoven!»

«Gewiß», entgegnet Liszt, «obwohl wir sie uns noch längst nicht genug zu eigen gemacht haben. Aber jedes Jahrhundert hat seine eigene Sprache und seine besondere Aufgabe, auch in der Kunst. Wir leben in der Zeit. Wir müssen die Ideen der Zeit auffangen.»

«Bestehen aber bleibt nur das, was aus dem Ewigen geflossen ist», antwortet Grimm. Und Bettina legt ihre Arme um Liszt und Grimm und sagt enthusiastisch: «Beide, beide habt ihr recht!»

Inzwischen haben Diener lautlos kleine gedeckte Tische hereingetragen. Man nimmt zwanglos Platz. Es gibt Austern und Champagner.

Liszt hebt zur Begrüßung der Gäste sein Glas: «Dies Haus ist geweiht durch Goethe, und es begrüßt heute nur Menschen, die besonders mit ihm verbunden waren. Es war dies eine Idee der Fürstin.» Er verneigt sich galant vor ihr. «Ich danke vor allem Herrn von Goethe, daß er durch sein

Erscheinen unserm Fest einen Mittelpunkt gegeben hat.» Er wendet sich Walther von Goethe zu, um mit ihm anzustoßen.

«Meinen Namen bringe ich, mehr nicht», sagt Goethes Enkel, indem er sich verlegen erhebt.

«Aber ich bitte Sie, Herr von Goethe, Sie bringen sich selbst und mit sich das ganze Erbe!»

«Ja — das Erbe», sagt Walther von Goethe mit schmerzlichem Unterton.

Aber schon hat sich Liszt seinem Gegenüber zugewandt. «Auf dein Wohl, Hector, und auf das Wohl deines ‹Faust›.» Und nun verneigt er sich vor Amélie von Groß: «Heute sind Sie Gast hier, wo Sie einmal zu Hause waren, Madame. Mögen Sie sich wie zu Hause bei uns fühlen!»

«Vielen Dank. Wenn man bedenkt, was sich im Lauf der Jahre in so einem Hause alles abspielt», antwortet Amélie. «Als wir es im Oktober achtzehnhundertelf einweihten . . .»

«Pardon!» unterbricht Liszt sie. «Oktober achtzehnhundertelf? Dann ist ja das Haus gerade so alt wie ich! Welch seltsame Fügung!» er lächelt nachdenklich.

Nach dem Essen erhebt man sich, der Flügel wird geöffnet. Hans von Bülow spielt seine «Cäsar-Ouvertüre», die eben fertig geworden ist. Dann singt Armgart von Arnim in Liszts Vertonung Goethes «Über allen Gipfeln ist Ruh». Cornelius begleitet sie. Und endlich setzt sich Liszt an den Flügel.

«Deine ‹Phantastische Symphonie›, Hector! Dein ‹Faust›!»

Und er beginnt die Transkription zu spielen, die er vor zweiundzwanzig Jahren in Paris für Klavier vorgenommen hat. Schon nach den ersten Takten springt Berlioz auf und tritt neben ihn. Liszt sieht mitten im Spiel zu ihm auf. Und dann greift Berlioz mit in die Tasten, und sie spielen miteinander, ineinander, einer den andern leidenschaftlich begleitend und variierend. Zwischendurch sehen sie sich immer wieder strahlend an. Da springt auch die Fürstin auf, getrieben von Temperament und Eifersucht; sie stellt sich neben den Freund und streicht ihm das Haar aus der Stirn, und Liszt blickt nun zu ihr empor. Mitten im virtuosen Spiel ruft er über die Schulter: «Das ist moderne Musik, Herr Grimm!»

Die Töne wogen und schäumen. Der Flügel zittert und dröhnt. Es ist längst nicht mehr die alte Klavierfassung, sondern eine geniale, aus dem Augenblick geborene Neuschöpfung. Und die beiden Künstler schließen mit einem gewaltigen, lang hallenden Akkord.

Die Zuhörer applaudieren hingerissen.

«Es lebe der Fortschritt der Musik!» ruft Hans von Bülow laut. Diese Musik besiegt seine Nervenschmerzen, all seine Skepsis.

«Zukunftsmusik!» sagt die Fürstin begeistert und reicht den Spielern beide Hände hin.

Auch Bettina ist impulsiv aufgesprungen. «Der Strom des Heiligen ist in dieser Revolution», jubelt sie; sie breitet die Arme aus, als wolle sie die Welt umfassen. Die zierliche, bewegliche Frau dreht sich begeistert wie im Tanz; ihre weißen lockigen Haare fliegen.

Walther von Goethe streicht sich über das spärliche Haar; seine schmächtige, ein wenig verwachsene Gestalt lehnt in einer Ecke des Sessels, und er sagt leise: «Das war sehr schön. In der Tat, sehr schön!»

«Und wissen Sie auch, Herr Doktor Liszt», ruft Amélie von Groß, als sich der Enthusiasmus etwas gelegt hat, «daß lange vor Ihrer Weimarer Zeit schon einmal eines Ihrer Werke in diesem Saal erklungen ist? Als damals Ihre erste Komposition, die Diabelli-Walzer-Variation, erschien, da habe ich das kleine Stück hier selber gespielt.»

«Ach!» ruft Liszt amüsiert. «Das?» Er setzt sich nieder und spielt die kindliche Weise, ändert sie dann temperamentvoll ab, um schließlich in die gewaltige Variation überzugehen, die Beethoven über dieses Thema geschrieben hat. «Hören Sie», ruft er, «das hat ein Beethoven daraus gemacht! Vielleicht ist es schon einmal von seinen Händen auf diesem Flügel gespielt worden», fügt er hinzu, «dies ist nämlich der Flügel, den Beethoven die letzten Jahre benutzt hat.»

«Oh», ruft Bettina, «Goethe, Beethoven, Berlioz, Liszt — ein Treffpunkt der Genies auf der Altenburg!»

Und alle sehen sich mit leuchtenden Augen an. Nur Walther von Goethe sieht grübelnd von einem Gesicht zum andern. Sie freuen sich alle des Lichts, denkt er, und mich erdrücken die Schatten.

Mit diesem Jahr scheidet aus Weimar der geliebte «König der Geiger», Joseph Joachim, er tritt in Hannover eine Stelle als Konzertmeister an. Im Februar 1853 verläßt auch Hans von Bülow das Haus, um auf seine erste Konzerttournee zu gehen. Die einen gehen, andere kommen — sie alle aber bleiben verbunden mit der Altenburg, dem Haus über Weimar, und tragen seinen Geist in die Welt hinaus.

Zu Anfang dieses Jahres gewinnt die Altenburg einen besonderen Schatz: Wagner, der Heimatlose, vertraut dem Freund die Partituren des «Tannhäuser», des «Lohengrin» und des «Fliegenden Holländer» an. Nirgendwo weiß er sie so sicher wie in der Altenburg.

«Ich kann Dir nicht anders danken für Dein mehr als königliches Geschenk», schreibt Liszt am 23. Januar 1853 an Wagner, «als indem ich es mit innigster, tiefempfundener Freude und Heiligkeit annehme. Die Florentiner trugen einst bei Glockengeläute im Triumphzuge die Madonna Cimabues durch die Stadt. Wäre es mir doch gegönnt, Deinen Werken und Dir ein ähnliches Fest zu bereiten!

Einstweilen sollen die Partituren in einer ganz eigenen Nische bei mir ruhen.»

Und als Jahre später Wagner in Bayreuth einzieht, da schreibt Liszt an seine Tochter Cosima: «Ihr richtet mir in Eurem neuen Hause ein Zimmer ein. Ich will in diesem von heute an den kostbaren Tresor aufstellen, der der beneidenswerteste Schatz der Reichen sein wird. Du hast ihn auf der Altenburg während meiner Jahre der Erwartung, die dahin sind, gesehen. Nimm ihn jetzt ‹in Depot› in meinem Zimmer bei Euch in Bayreuth, und wenn ich auf dieser Erde nicht mehr sein werde, so sorgt dafür, daß das Eigentum dem von Euren Kindern zufalle, das Ihr für das würdigste haltet.»

Eine Vitrine wird angefertigt und im Saal der Altenburg aufgestellt. Darin ruhen nun die Partituren auf violettem Samt neben drei anderen kostbaren Handschriften aus Liszts Besitz, einem Notenblatt Mozarts mit zart-sprühendem Motiv, der flüchtig hingeworfenen Kompositionsskizze Beethovens mit den dahinstürzenden Notenzeichen «Schweigen ist lauteres Gold» und einer Goethehandschrift. Karl Alexander hatte dieses Blatt, das aus Eckermanns Besitz an ihn gekommen war, an Liszt weitergeschenkt. Zwischen zierlicher Randleiste bauen sich in schön angeordneter Form die Verse auf, die Goethe in Jena in ebendem Jahr verfaßte, als sich die erste Hausherrin der Altenburg, Henriette von Seebach, zum Sterben legte.

«Weite Welt und breites Leben,
Langer Jahre redlich Streben,
Stets geforscht und stets gegründet,
Nie geschlossen, oft geründet,
Ältestes bewahrt mit Treue,
Freundlich aufgefaßtes Neue,
Heitern Sinn und reine Zwecke,
Nun! man kommt wohl eine Strecke.»

Diese kostbaren Handschriften füllen den Saal mit unmeßbarem Reichtum. Da liegen nebeneinander vielfältiger schöpferischer Geist und beredtes Schicksal.

Am 11. Februar vermehrt eine neue Sendung Wagners den Schatz: die soeben vollendete Dichtung vom «Ring des Nibelungen» als Sonderdruck für wenige Auserwählte. An vier Abenden hintereinander liest Hofrat Sauppe vor einem kleinen Kreis begeisterter Gäste das gewaltige Werk vor. Und die dicken Mauern der Altenburg bilden einmal wieder den Raum für ein Ereignis denkwürdiger Art.

Am 16. Februar 1853, dem Geburtstag der Großherzogin, führt Liszt nun auch Wagners dritte Oper, «Der fliegende Holländer», auf. Er wagt es sogar, dem trägen Weimar eine ganze Wagner-Woche aufzudrängen! In der Zeit vom 27. Februar bis zum 5. März gehen die drei großen Opern «Tannhäuser», «Lohengrin» und «Der fliegende Holländer» über die Bühne der kleinen Stadt. Eine erste Festspielzeit in Weimar! Nirgendwo ist der schöpferische Geist, wie ihn Goethe verkörperte, so lebendig wie in der Altenburg, in dem einst so abseits gelegenen Haus des Sonderlings Seebach.

Der Verbannte in Zürich aber, dem es ein bitteres Schicksal verwehrt, selber zu vernehmen, wie seine Musik in die Welt tritt, bedrängt ungeduldig den unermüdlichen Freund: «Laß mich doch wissen, ob von Weimar aus je etwas geschehen ist, um mir die Erlaubnis zur Rückkehr nach Deutschland auszuwirken?» — «Gelingt es Deiner riesenhaften Freundesausdauer denn nicht, mir wieder den Zutritt nach Deutschland zu eröffnen?» — «Veranlasse von seiten des weimarischen Hofes einen definitiven Schritt, um bald und schnell den Wiedereintritt in Deutschland mir geöffnet zu sehen!»

Liszt macht alle seine Beziehungen geltend; aber wo er auch anklopft bei den Fürsten Deutschlands, stößt er auf

Ablehnung. Selbst bei der Feier zum Regierungsantritt Karl Alexanders bittet er vergebens um Wagners Begnadigung.

Die beiden Menschen auf der Altenburg lesen mit Verzweiflung die quälenden Briefe des Verbannten. Seine Klagen berühren bei ihnen ähnliche Wunden.

«Wir Verfemten!» sagt die Fürstin.

«Es ist eine Tragödie, daß Liebe und Schöpfertum in die Schranken des Irdischen verwiesen sind», seufzt Liszt.

Ein einziges Mal läßt er den Freund ganz in sein Herz sehen, wenn er schreibt: «Ich kann Dir es nicht predigen, nicht explizieren: Zu Gott will ich aber beten, daß er mächtig Dein Herz erleuchtet, durch seinen Glauben und seine Liebe. Magst Du dieses Gefühl noch so bitter verhöhnen, ich kann nicht ablassen, darin das einzige Heil zu ersehen und zu ersehnen: Durch Christus, durch das in Gott resignierte Leiden, wird uns Rettung und Erlösung.»

Im Blauen Zimmer entsteht die große Sonate in h-Moll. Sie hebt an mit schweren, zögernden Oktaven, um dann, immer abgewandelt, einmal pathetisch, einmal zart, einmal sprühend, einmal elegisch, das Thema anzuschlagen von dem ewigen Kampf des Menschen mit der Welt und mit Gott. Hin und her wogen die Töne und die Empfindungen, und dem triumphierenden Lichtgesang zum Schluß läßt Liszt, selber zweifelnd und ungewiß, einen beredten, schwermütigen Ton nachhallen. Dürers «Melancholie» hängt an der Wand des Blauen Zimmers. Die Sonate wird Robert Schumann gewidmet.

Während dieser Zeit liest Liszt in freien Abendstunden die Goethe-Biographie Heinrich Düntzers. Selbst in dieser trockenen Darstellung erschüttert ihn das gewaltige Ringen Goethes um «die Pyramide meines Daseins». Ich versuche es in der Musik, denkt er. Aber der resignierende Schluß der «h-Moll-Sonate» ist weit entfernt von goethischer Lebensbejahung.

Der Kreis um die Altenburg erweitert sich immer mehr: Karl Gutzkow, einer der produktivsten, meistgelesenen, meistaufgeführten Schriftsteller der Zeit, kommt in die Altenburg. Er möchte seinen Intendantenposten am Dresdener Theater verlassen und nach Weimar übersiedeln und bittet Liszt, ihm die Stellung eines Sekretärs der Goethestiftung zu verschaffen. Ach, und die ist doch noch gar nicht vorhanden!

Ernst Rietschel, der Bildhauer, der an einem Goethe-und-Schiller-Denkmal für Weimar arbeitet, sucht Rat auf der Altenburg. Die Bekleidung der beiden Gestalten macht ihm Schwierigkeiten. «Das ist künstlerisch kaum zu bewältigen, zwei Oberröcke!» klagt am 5. März der Künstler mit einem Anflug von Humor. «Offen können nicht beide sein, also Goethes zu! – Ein Sack dann auf zwei Füßen, wie uninteressant und prosaisch!»

Gustav Freytag hat soeben in Siebleben bei Gotha sein Lustspiel «Die Journalisten» vollendet. Wenn es doch in Weimar zur Aufführung käme! Könnte Liszt nicht dabei helfen?

Joseph Joachim, der junge Ungar, kehrt für kurze Zeit in die geistige Heimat zurück, um mit dem verehrten Meister seine «Hamlet-Ouvertüre» zu probieren.

Peter Cornelius, in finanzieller Not, erscheint im März für vierzehn Tage auf der Altenburg. «Liszt versicherte mir neulich: ‹Sie wissen, ich bin kein Bankier oder dergleichen, aber wenn Sie, um irgend etwas durchzusetzen, hundert Taler oder so etwas brauchen, so stehe ich jederzeit augenblicklich zu Diensten.›»

Anfang Juni steigen zwei Freunde die fünf Steinstufen zur Haustür empor: ein schmächtiger Jüngling mit einem empfindsamen Ausdruck im blassen schmalen Gesicht und einer fast mädchenhaft hohen Stimme: Johannes Brahms. Der andere ein Zigeuner, temperamentvoll, welt- und leiderfahren: Eduard Reményi, der Geiger. Er hatte sich 1848 an der Revolution in Wien beteiligt und war nach Amerika geflohen, wo er sich fünf Jahre lang herumgetrieben hat.

Exil-Asyl, denkt die Fürstin, so haben wir es uns bei Wagners Flucht gelobt. Die beiden dürfen drei glückliche, sorglose Wochen lang Gäste auf der Altenburg sein.

Brahms bringt sein «es-Moll-Scherzo» mit; aber als er es dem Weltberühmten vortragen will, erlahmt ihm plötzlich aller Mut, und er läßt die Hände sinken. Da erhebt sich Liszt, nimmt dem jungen Gast das kaum leserliche Manuskript aus der Hand und spielt es selber, mit seiner Technik, mit seinem Temperament, mit seiner Reife, und Brahms staunt, was Virtuosität aus seinem Werk zu machen vermag.

Dann spielt Reményi, ein Ungar wie Liszt. Er macht nicht Musik, er ist Musik, heißt es von ihm. Er spielt Zigeunerweisen. Er steht nicht still, er wiegt sich hin und her, er dreht sich, er tritt vor und zurück. Er schmiegt den Körper um das singende Holz, er tanzt. Nicht der Bogen, sondern der leidenschaftlich die Geige umfangende Körper scheint die Saiten des Instruments tönen zu machen. Er spielt und spielt. Liszt springt auf, ihn haben die Rhythmen seiner Heimat ergriffen. Mit langen, leicht tanzenden Schritten bewegt er sich durch den Raum, öffnet den Flügel, setzt sich nieder und spielt und spielt. Da läßt Reményi die Geige sinken. Er steht, er hört. Sie alle, die Fürstin, die Prinzessin, Miß Anderson, Raff, Brahms, sie alle lauschen. Der Ungar Liszt spielt. Mit springenden Händen, mit springenden Fingern. Viervierteltakte in Moll, ihm eingeborene Musik! Da, ein ganz einfaches, fast derbes Thema!

«Carolyne!» ruft er. «Hören Sie? Woronince! Unser Zigeunerfest!» Dann greift er das Thema von neuem auf, benutzt beide Pedale, läßt die Konturen verwischen und macht das Thema singend und wehmütig und immer schwerer, immer düsterer, um es dann wieder in feurigem Trotz aufwirbeln zu lassen. Er löst die volksliedhaft-naive Melodie auf und fügt sie zu gedankenreichen Akkorden mit geheimnisvoll aufreizendem Rhythmus. Rhapsodien! Ungarische Rhapsodien!

«Sie haben das Geheimnis ungarischer Musik in Ihrem Herzen», sagt Reményi bewundernd, und überschwenglich beugt er vor dem Meister das Knie.

Am 28. Juni reist Liszt nach Karlsruhe ab, um ein Musikfest vorzubereiten, das im Oktober dort stattfinden und ausschließlich der neuen Musik gewidmet sein soll. Von da aus fährt er nach Zürich zu der lang ersehnten Begegnung mit Wagner. Die Fürstin begibt sich mit der Prinzessin zur Kur nach Karlsbad.

Diesmal hütet Kostenecka zusammen mit Liszts Mutter das Haus. Als im Juli Reményi abermals zu Besuch kommt, ist das Haus still. Doch die Frauen kennen ihn und nehmen ihn auf, und er schreibt aus der Altenburg an den fernen Hausherrn einen Brief, vier Seiten lang. Er beginnt seine Epistel: «Ich bin auf der Altenburg.» Er berichtet weiter: So und so «geht es auf der Altenburg». Und er schließt: «Ich unterzeichne Eduard Reményi, Bürger der Altenburg, ehemals Ungar.»

In der Nacht vom 15. auf den 16. Juli 1853 kehrt Liszt für kurze Zeit nach Weimar zurück. Vom 2. bis 10. Juli war er in der Schweiz mit Wagner zusammen gewesen. Welch ein Wiedersehen nach vier Jahren! Rückhaltlose Freundschaft und tiefes Verständnis, wechselseitig gegeben und genommen, haben dem über sein eigenes Schaffen meist schweigenden Liszt den Mund geöffnet; zögernd hat er dem Freund von einem Plan gesprochen, der erst wie eine Ahnung, wie ein dämmernd erschautes Ziel in seiner Seele lebt, von dem Plan, ein Oratorium «Christus» zu schreiben. Nicht ein Drama «Jesus von Nazareth», wie es Wagner damals gewollt hatte, sondern ein Oratorium, ein feierliches Werk von der Wahrheit des Gekreuzigten.

Tief erregt, gespeist und getränkt von der Freundschaft des Ebenbürtigen, kehrt Liszt in die Altenburg zurück. Im Zimmer von Kostenecka erwarten ihn gleich drei Briefe der Fürstin, alle im gleichen Ton.

«Ich habe alle Qualen nur getragen, weil ich mich Dir ganz geben wollte — ganz — ohne Rückhalt, ohne Beschränkung, ganz, wie es gesagt ist im Innern des Knotens von reinem Gold, dem Symbol, das ich Dir am 22. Oktober 1847 gegeben habe, indem ich mir selbst versprach, diesen unauflöslichen Knoten niemals zu verleugnen, niemals davon zu lassen, ihn nicht aufzuschneiden noch aufzuknoten — und ich glaube, dieses Versprechen gehalten zu haben. Ich wollte und will ganz Dir gehören, ganz mit allen Seiten meines Wesens, mit allen Gesichtern meines Daseins, Dir alles geben ...»

Liszts Seele ist noch erfüllt von der Begegnung mit Wagner und von den Gedanken an sein Oratorium, das durch den Austausch mit dem Freund Form gewonnen hat, da fordert Carolyne ihn wieder. Die Kette mit dem zugeschmiedeten Knoten liegt auf dem Schreibtisch.

Er setzt sich nieder und schreibt in deutsch: «16. Juli. Samstag mittag, Blaues Zimmer. Heil Dir, Heil Deinem Herzen, Deinem Leib und Deiner Seele! Heil jeder Stunde Deiner Tage und Nächte, bis zum Tag, der nie endet.» Erst dann fährt er im gewohnten Französisch fort: «Um drei Uhr morgens bin ich in unser Zimmer zurückgekehrt. Alles spricht und singt mir von Ihnen. Unsere Erinnerungen — das sind die geliebtesten Seen und Berge meiner Seele. Sie sind der andere Teil meines Selbst, meine Ehre, mein Kleinod, die Süße und der Frieden meines Lebens. Ich kann mir nicht erklären, wie ich ohne Sie überhaupt leben kann — aber hier wenigstens ist das Gefühl Ihrer Abwesenheit gemildert durch Ihre Spuren, Ihre Worte, Ihre Tränen, Ihr überall gegenwärtiges Bild.

Ich hatte mich einige Stunden schlafen gelegt, und dann habe ich im Zimmer von Kostenecka drei Briefe von Ihnen gefunden. Und es hat mich einige Stunden gekostet, sie zu lesen.»

Wenige Tage später fährt er zu Carolyne nach Karlsbad. Das Haus bleibt einsam bis zum November.

Am 8. Juli 1853 stirbt Großherzog Karl Friedrich, und der vielversprechende Karl Alexander tritt die Regierung an. Seine Erziehung lag noch in Goethes Hand, und so ist der junge Fürst feinfühlig und kunstverständig. Aber ein kraftvoller Tatmensch ist nicht aus ihm geworden. Trotzdem geschieht unter seiner Leitung allerlei Neues in Weimar.

Am 5. März des neuen Jahres stampft ein vierschrötiger Alter die fünf Steinstufen zur Haustür der Altenburg hinauf. Er sieht aus wie ein Bauer, in einfacher grober Joppe, mit ungeschnittenem grauem Haar, einen derben Knotenstock in der Hand. Das ist der zur Heimatlosigkeit verdammte Demokrat Hoffmann von Fallersleben. Als Professor der Literatur in Breslau 1842 wegen seiner anklagenden «Unpolitischen Lieder» aus dem Staatsdienst entlassen, hat er keine Heimstatt, keine gesicherte Arbeit wieder gefunden. Nun, nach zwölf Jahren, gelingt es der Herzenswärme und der Überredungskunst Bettinas, für Hoffmann von Fallersleben in Weimar eine Unterkunft zu schaffen. Im Zusammenhang mit der Goethestiftung will Karl Alexander ein «Weimarisches Jahrbuch» herausgeben, für dessen Bearbeitung Hoffmann von Fallersleben in Aussicht genommen wird. Das weimarische Ministerium hat zuvor auf alle Fälle vorsichtig in Berlin angefragt, ob man gegen Hoffmanns Niederlassung in Weimar Bedenken habe, und die beruhigende Antwort erhalten, daß der Verfasser der «Unpolitischen Lieder» zwar nicht aus den Augen gelassen werden, doch seinen Wohnsitz in Weimar nehmen dürfe.

Einer der ersten Wege des Neuangekommenen führt zur Stätte des freien Geistes, zur Altenburg, hinauf. Dort wird er empfangen, als sei er ein alter Freund. Die Fürstin öffnet auch ihm, dem im Exil Lebenden, ihr Asyl.

Man behält Hoffmann sogleich zu Tisch da. Seine Ankunft wird mit Champagner gefeiert. Hoffmann liest einige seiner Gedichte vor, und es entspinnen sich angeregte Gespräche. Die Fürstin interessiert sich für seine «Geschichte des Kirchenliedes», Liszt spielt, den neuen Gast zu ehren, einige Stücke auf dem Klavier; und dann trägt der Alte der kindhaften Prinzessin Marie, die neben ihm sitzt, ein paar seiner Kinderlieder vor. «Ein Männlein steht im Walde» rezitiert er so zart, wie man es dem derben Mann gar nicht zugetraut hätte, und «Kuckuck, Kuckuck, ruft's aus dem Wald» und «Winter ade, Scheiden tut weh».

Auch Hoffmann von Fallersleben ist «Bürger der Altenburg» geworden.

Schon am nächsten Tag vermittelt Liszt ihm eine Audienz beim Großherzog. Er bringt sogar den nicht sehr Hoffähigen in seinem Wagen ins Schloß und fährt ihn wieder zurück auf die Altenburg. Und die folgenden sechs Jahre steht nun der robuste Alte, dichtend, lachend und über den Widerstand der Welt schimpfend, neben der Fürstin und Liszt. Er zieht ganz in die Nähe der Altenburg, auf den Rothäuserberg, und als ihm seine um vierzig Jahre jüngere Frau einen Sohn schenkt, wird Liszt dessen Pate.

Hoffmann von Fallersleben wird auch zum Sänger der Altenburg:

Auf den Bergen wohnt die Freiheit,
Eine Burg ist uns bekannt,
Wo die Freiheit fand und findet
Allezeit ihr Vaterland.

Frei im Dichten, frei im Trachten
Läßt die Burg ja jeden sein,
Darum kehren alle freudig
Auf der Burg da droben ein.

Altenburg, die ewig neue,
Lebe froh auf immerdar!
Was sie ist, das soll sie bleiben
Und stets werden, was sie war.

Mit solchen Versen preist er enthusiastisch das Zentrum freien Geistes.

Nun kommt der Sommer 1854 heran. Er ist ungewöhnlich heiß, und bei einem schweren nächtlichen Gewitter schlägt der Blitz in den Schloßturm und die darunterliegende Bastille ein. Man findet die junge Prinzessin Marie bewußtlos in ihrem Zimmer, das sie nach ihres Vaters Willen dort bewohnt. Und so ist es natürlich, daß sie ihr altes Schlafzimmer, den weißen Ecksalon auf der Altenburg, wieder bezieht.

Doch bereits wenige Wochen später beschwert sich Fürst Nikolaus beim Hof, daß seine Tochter bei der Mutter wohne. Und auch darüber, daß er noch immer nicht das Siebentel des Vermögens ausgehändigt bekommen habe. Zwischen Minister Watzdorf, dem Vertreter der Familie Wittgenstein, einerseits und Liszt und der Fürstin andererseits kommt es zu den unerquicklichsten Verhandlungen. Liszt verteidigt den Stand der Dinge: Da die katholische Kirche infolge Wittgensteinscher Intrigen die

Scheidung nicht bewillige und daher die neue Eheschließung nicht stattgefunden habe, könne Fürst Nikolaus auch die versprochenen Gelder nicht verlangen.

Minister Watzdorf hat dem Hof über den Stand der Angelegenheit zu berichten. In einem Schreiben gibt er seine Meinung folgendermaßen kund: «Ich kann es nur für ein Glück für die Stadt ansehen, wenn die Fürstin die Stadt bald verlassen würde. Als ich letztere zum letztenmal sah, ist mir ihre Taille höchst verdächtig vorgekommen. Wenn ich mich getäuscht haben sollte, ist doch darum die Sache kaum besser. Daß eine noch nicht geschiedene Ehefrau öffentlich mit ihrem Liebhaber haushält und ohne Scheu mit ihm lebt, ist eine Verletzung der Sitten. Mein Rat ist, daß ihr gesagt werde, solange sie wie bisher mit Dr. Liszt lebe, würde ihre Entfernung von Weimar sehr erwünscht sein.» Dies ist die Meinung eines Ministers jenes Landes, für dessen Ruhm und Geltung die Altenburg so viel tut, daß der Name Weimar wieder in ganz Europa bekannt ist! Und es ist die Meinung vieler!

Was aber meinen die beiden Menschen, die es am nächsten angeht, im tiefsten Grunde selbst? Was denkt Liszt? Was fühlt er angesichts der Stellung, in der er und die Gefährtin seines Lebens sich befinden? Ist es ihm gleich, wie es ihm in seiner Jugend an der Seite Marie d'Agoults gleich war?

«Ich habe vor allem eine ernste Pflicht treu zu erfüllen. In diesem Gefühl der innigsten und standhaftesten Liebe, die meiner ganzen Seele Glauben erfüllt, muß mein äußerliches Leben entweder auf- oder untergehen. Gott schütze meinen redlichen Willen», bekennt er beim Jahreswechsel dem Freunde Wagner. Er ist gewillt, sich um jeden Preis schützend vor die Frau zu stellen, die um seinetwillen Heimat und gesellschaftliche Stellung verlassen, die um seinetwillen bürgerliches und kirchliches Gesetz übertreten hat. Liebt er Carolyne? Ja, er liebt sie. Es ist eine andere

Liebe als die zu Caroline St. Cricq, jener unvergeßlichen lilienhaften ersten Geliebten, mit der er sich noch immer verbunden fühlt. Es ist eine andere Liebe als zu Marie d'Agoult, die ihm in zehnjähriger leidenschaftlicher Gemeinschaft drei Kinder geboren hat. Es ist eine andere Liebe als die zu Agnes Street, die seit einiger Zeit die Vertraute seiner musikalischen Ideen ist. Und es ist eine andere Liebe als jene zu der schönen Lola Montez, zu der temperamentvollen Charlotte von Hagn, zu der klugen George Sand, zu der Kameliendame Madame Duplessis. Es ist eine tiefe, schicksalhafte Beziehung, an der er oft leidet, aber zu der er ritterlich und demütig zugleich steht. Die Treue zu dieser Frau ist ihm eine sittliche Aufgabe. «Ich lerne an Ihnen, was Liebe ist», hat er der Fürstin einmal gestanden.

Und Carolyne? Wie eine Sturmflut ist die Leidenschaft zu Liszt über sie hereingebrochen und hat ihr ganzes Leben umgewandelt. Sie hat ungeahnten Reichtum des Herzens und des Geistes davon gewonnen, aber sie hat auch Heimat und inneren Frieden für immer verloren. Gewohnt, nur auf die eigene Stimme zu hören, ist sie aus unbefriedigter Ehe bedenkenlos dem Ruf ihres Herzens gefolgt. Aber es gibt noch viele andere Stimmen in der Welt, und erst von den mißgünstigen und gehässigen lernt sie, die leise Stimme des eigenen Gewissens zu vernehmen. Das Sakrament der Ehe ist gebrochen. Unaufhörlich versucht sie, die Würdenträger der Kirche zu bewegen, ihr Dispens zu erteilen. Als treue Tochter dieser katholischen Kirche weiß sie jedoch, daß die sakramentale eheliche Bindung unauflösbar ist. Sie flüchtet sich ins Gebet, in eine ekstatische, verzweifelte Religiosität. Sie zieht Liszt mit sich; sie rechtfertigt ihre Tat, indem sie den geliebten Mann zurück zur Kirche führt. Und doch steigen immer von neuem Angst und Reue in ihr auf.

In einer Nacht dieses heißen Sommers geschieht es zum erstenmal, daß Prinzessin Marie voller Angst Liszt weckt, um ihn zu ihrer völlig verstörten Mutter zu holen. In wilden Verzweiflungsausbrüchen macht sich die tiefe Seelenqual der Fürstin Luft. Stundenlang muß die Tochter mit lauter Stimme die heiligen Worte der Bibel vorlesen, damit die leisen Stimmen ihres Inneren verstummen in der Hoffnung auf göttliche Gnade.

Und je tiefer der Fürstin dieser unheilbare Zwiespalt ihres Lebens bewußt wird, um so ruheloser wird sie. Nicht genug Menschen kann sie um sich versammeln, nicht genug reden, schreiben, Feste geben.

«Sie schmeichelt einen jeden in eine gewisse Ekstase hinein, in welcher er das Beste, dessen er fähig ist, von sich zu geben sich genötigt fühlt», so berichtet Wagner.

«Sie redet über Alchimie und Rahel, über Malerei und Nationalitäten, über Mikrokosmos und Makrokosmos. Mit einer bewunderungswürdigen Schärfe, mit stets neuen, nie oberflächlichen Behauptungen führt sie die Unterhaltung», so lautet das Urteil Bülows. Aber dann fügt der sensible Mann hinzu: «Ich fühlte den ganzen Abend heftiges Kopfweh, so hatte mich das Reden der Fürstin angegriffen.»

Die Wortgewandte, die Vielbelesene schreibt mit Liszt ein Buch über die Zigeuner, und nicht immer ist ihre Mitarbeit zum Nutzen des Buches. Die Seiten füllen sich mit anschaulichen Bildern erlebter Zigeunergestalten, mit fesselnden Berichten erlebter Zigeunerbräuche, aber sie füllen sich auch mit vielen überflüssigen Worten, die das eigentliche Thema verschwimmen lassen.

Peter Cornelius sitzt im Nebenhaus der Altenburg und müht sich, das wortreiche Französisch in knapperes Deutsch zu bringen. Jeder Satz wird von der Fürstin zwei-, ja dreimal überprüft. «Sie fing noch ein drittes Mal an, und nun wurde Oberstes zuunterst gekehrt, daß mir angst und bange wurde», schildert er einmal eine solche Szene. «Da wurde an jedem Wort gemäkelt und gedreht. Als das aber nun endlich alle war und sie zum viertenmal von vorn anfing und noch feinere Nuancen herauspressen wollte, da ward mir, als müßte ich wahnsinnig werden. Als sie für ‹Vergangenes› immer noch ein anderes Wort haben wollte und ‹Durchlebtes›, ‹Dagewesenes› und so fort erschöpft war, sagte ich: Schreiben Sie doch ‹Passiertes› — und sie schrieb's auch!, sagte mir aber später mit ihrem süßesten Lächeln: ‹Ach, dafür finden Sie vielleicht noch einen besseren Ausdruck — es klingt doch etwas zu prosaisch!›»

Cornelius spottet. Aber im allgemeinen ist er derjenige, der dem fremdartigen Charme ihrer Persönlichkeit am ehrlichsten huldigt. Sein feinfühliges Herz empfindet den tragischen Konflikt dieses Lebens tief mit. Auch fühlt er sich ihr durch den gleichen Glauben verbunden. Er liebt Liszt, und er liebt die Fürstin. Er liebt die Altenburg wie eine Heimat. Und eben darum leidet er unter dem turbulenten, flackernden Leben in jenem Haus, das sich einerseits so frei am Bergrand erhebt und andererseits in einen feuchten dunklen Waldgrund schaut. Er sucht es und flieht es, immer aufs neue.

Liszt selber flüchtet sich in Arbeit. Wie ein Besessener komponiert er an der «Faust-Symphonie». Zwölf temperamentvolle «Ungarische Rhapsodien» entstehen. Das große «Es-Dur-Konzert» nimmt Gestalt an, und immer wieder wird die «Symphonie zu Dantes Divina Comedia» umgearbeitet. Außer dem Buch über die Zigeuner schreibt er unzählige Rezensionen und Aufsätze über die neue Musik, die «Zukunftsmusik». Seine Kapellmeistertätigkeit am Theater kostet ihn viel Kraft, obwohl ihn der neue Intendant verständnisvoll und großzügig gewähren läßt. Dieser Intendant ist übrigens jener Karl von Beaulieu-Marconnay, der als Göttinger Student im Herbst 1831 Goethes Nähe suchte und schon zu Seebachs Zeiten Gast auf der Altenburg war.

Auch die Schüler kosten Liszt Kraft und Zeit. Nie gehen sie ohne Belehrung, ohne Aufmunterung, ohne Anregung von ihm. Er lebt von ihrer Verehrung — aber er gibt sich ihnen auch völlig hin. Padischah — Großkönig —, so nennen sie ihn. Und Murls — Mohren —, so nennt er sie scherzhaft, um im Bilde zu bleiben. Der Pfiff der Königsfanfaren ertönt Tag und Nacht um die Altenburg. Denn die Murls kommen und gehen, wie es ihnen beliebt. Sie essen und schlafen frei in dem Haus auf dem Berg. Sie füllen alle Zimmer mit Musik, mit der neuen Musik Liszts, Wagners und Berlioz'. Sie fühlen sich alle als Pioniere. Die einzelnen Glieder des Kreises wechseln, der Kreis aber bleibt.

Hans von Bonsart ist dazugekommen — Liszt nennt ihn sogleich Hans von Bülows wegen Hans den Zweiten — und dessen Braut, die schöne Ingeborg Stark. Smetana, der Böhme, gesellt sich hinzu. Und noch ein anderer kommt die Straße von Osten her, von Petersburg, wo er am Hof angestellt ist, ein Komponist und Pianist von leidenschaftlichem, unberechenbarem Temperament: Anton Rubinstein. Schon im Jahre 1839 hatte Liszt den begabten Neunjährigen in Paris als «Erben seines Spiels» begrüßt; nun hält er seinen Einzug in die Altenburg. Zunächst für vier Wochen; im Herbst für ein Vierteljahr. Und Jahr für Jahr kehrt er wieder, der Van Zwei, wie ihn Liszt wegen seiner Ähnlichkeit mit Beethoven nennt.

Er ist auch dabei, als ein besonderes Ereignis in der Altenburg gefeiert wird. Der Pedalflügel aus Paris trifft ein. Liszt hat ihn eigens nach seinen Angaben bauen lassen, um die Vorzüge des Klaviers mit denen der Orgel zu vereinen. Das riesige Instrument wird zunächst unten im Gartenzimmer, wo sich Seebachs schöner Holzbogen wölbt, abgestellt. Rubinstein ist der erste, der ungestüm den Deckel öffnet, um den Klang der doppelten Klaviatur zu erproben. Er hämmert drauflos, und alle Umstehenden ziehen sich vor dem unerwarteten Gedröhn bis in die äußersten Ecken des Raumes zurück. Verlegen lächelnd sieht man einander an. Dann aber helfen sie alle eifrig, den schweren Flügel die gewundene Treppe hinaufzuschaffen in das Musikzimmer im zweiten Stock. Und es gibt ein stürmisches Fest, als der Koloß neben dem zierlichen Spinett Mozarts Platz findet.

Am 25. Oktober 1854 steigt Clara Schumann schweren Herzens die fünf Steinstufen hinauf. Sie ist nicht das erste Mal in Weimar. Schon vor dreiundzwanzig Jahren hat sie als Zwölfjährige dem alten Goethe vorspielen dürfen. Und im Jahr 1841, als Liszt, umworben von Maria Pawlowna, zum ersten Mal in Weimar spielte und auf dem Weg nach Tiefurt die Altenburg höflich bewunderte, ohne zu ahnen, welche Rolle sie einmal in seinem Leben spielen würde, hat sie mit Robert und ihm im Hotel «Russischer Hof» einen enthusiastischen Abend verbracht. Sie bewunderte seine aparte glitzernde Krawattennadel, eine sternbestückte kleine Weltkugel aus edlem Gestein, und er zog sie aus seiner Krawatte und steckte sie ihr lächelnd an.

Längst aber ist sie keine Freundin Liszts mehr. Sein geschmeidiges Virtuosentum scheint ihr gering gegenüber Roberts schwerblütigem Genie, und doch steht — so meint sie — Liszt im vollen Sonnenlicht, während Robert sieglos mit Schatten kämpft.

Im Februar hat die Nachricht von dem Verzweiflungsschritt Schumanns alle Herzen erschüttert: Er war in den eisigen Rhein gesprungen, um seinem Leben ein Ende zu machen, und bald wurde seine Überführung in eine Nervenheilanstalt notwendig. Liszt hilft nach Kräften. Er führt in Weimar Schumanns halbvergessene «Genoveva» auf und verschafft Clara eine Einladung an den Weimarer Hof, damit sie hier Konzerte geben kann. Aber es demütigt sie nur, daß sie seine Hilfe annehmen muß.

In eisiger Abwehr gegen den anscheinend Glücklichen steigt die geprüfte Frau zur Altenburg empor, um pflichtgemäß zu danken. Sie sieht bei diesem konventionellen Besuch nur das der Straße zugekehrte, helle Gesicht des Hauses. Die stille, dunkle Gestalt, die voller Abwehr eintritt, kommt wie eine Vorbotin drohenden Unheils.

Ende des Jahres 1854 gibt Hoffmann von Fallersleben den Anstoß dazu, einen «Neu-Weimar-Verein» zu gründen. «Neu-Weimar» — das ist ein Kampfruf, der von der Altenburg gegen die Stadt ausgeht.

Für diesen Kreis ist Weimar ein in Konventionen erstorbenes, erbärmliches Nest voller Spießer, das einzig von der Vergangenheit lebt. Nur noch einige wenige wie das Sängerehepaar Milde, der Schauspieler Genast und der Maler Friedrich Preller kommen als Freunde über die schmale Ilmbrücke zur Altenburg hinauf. Die Bürger und der Adel meiden das skandalöse Haus.

Am 16. Februar dieses Jahres war die Uraufführung von Liszts «Orpheus». Am 23. Februar erklangen zum erstenmal in der Öffentlichkeit Liszts «Les Préludes». Am 16. April fand die Uraufführung von Liszts «Mazeppa» statt. Am 19. April ertönte Liszts «Tasso» in seiner endgültigen Fassung. Am 9. November wurden Liszts «Festklänge» uraufgeführt. Für den nächsten Geburtstag der Großherzogin ist die Uraufführung von Liszts «Es-Dur-Konzert» vorgesehen. Liszt! Liszt! Liszt! Er leitet eine Wagner-Woche. Er leitet eine Berlioz-Woche. Er leitet eine Schumann-Woche. Liszt. Liszt! Liszt! «Und wo bleibt Goethe?» so fragt man in Weimar.

«Und wo bleibt Goethe?» ruft Liszt in der Silvesternacht auf der Altenburg. Zum Abschluß dieses Jahres hat er die Mitglieder des Neu-Weimar-Vereins in die Altenburg eingeladen. Alle Räume in der zweiten Etage sind weit geöffnet, die Tische verschwenderisch gedeckt.

«Wo bleibt Goethe? Sein Haus ist verschlossen. Sein Werk ist vergessen. Seit ich hier bin, haben sie einmal den ‹Tasso› einstudiert und zweimal den ‹Egmont›. Ach ja, und einmal den ersten Akt des ‹Faust II›! Das ist alles. Diese Weimaraner! Wißt ihr, daß ich einmal einen Prozeß gegen sie geführt habe? Das muß ich erzählen! In den Akten des großherzoglich-sächsischen Kreisgerichts könnt ihr es nachlesen, daß der Hofkapellmeister Doktor Liszt, welcher, wie bestimmt in Erfahrung gebracht wurde, einer Dienstadministrativbehörde nicht untergeordnet ist, sich an einem öffentlichen Orte vor elf Personen folgende Schmähungen erlaubt hat: ‹In Weimar sind die Borniertheit und das Philistertum zu Hause; die Weimaraner sind alle Esel!›»

Liszt wird von schallendem Lachen unterbrochen. «Darauf müssen wir trinken!» — «Darauf müssen wir anstoßen!» — «Hoch Weimar! Sie sind alle Esel! Der Padischah hat es gesagt!» — «Aber weiter! Wie ist es weitergegangen?»

«So ging es weiter», fährt Liszt lachend fort. «‹Wenn das geniale Reden sein sollen, so sind sie mindestens beleidigend und wir daher verpflichtet, gegen den Hofkapellmeister Doktor Liszt zu denunzieren. Wir bemerken dabei, daß Doktor Liszt uns nur als europäische Notabilität im Pianospiel, sonst aber ganz und gar nicht bekannt ist!›»

Liszt wird wieder von lautem Gelächter unterbrochen. Der Neu-Weimar-Verein rast vor Vergnügen: «Nur als europäische Notabilität!» — «*Nur* ist gut!» — «Ganz und gar nicht bekannt!» — «Padischah, Großkönig der Altenburg, du bist *nur* in Europa bekannt, aber nicht in Weimar!»

«Silentium!» ruft nun Hoffmann von Fallersleben dröhnend dazwischen. «Silentium für unser Bekenntnis zur Altenburg!» Und er deklamiert laut, was er für diese Silvesternacht vorbereitet hat:

«Es ist nicht eine Burg der Alten,
Auch die Jungen dürfen dort schalten und walten.
Es ist die Burg, wo unter Liszts Paniere
Die Künstler sich sammeln zum geist'gen Turniere.
Wo man nicht fragt: ‹Was hat der Mann?›
Sondern was er ist und was er kann;
Wo man der Wissenschaft und Kunst
Erweiset Liebe, Huld und Gunst;
Wo für Scherz und Witz und Humor
Die Herzen öffnen gern ihr Tor;
Wo über Freuden und Leiden des Lebens
Sich nie ein Gemüt eröffnet vergebens;
Wo man jeden Gast willkommen heißt,
Der kein Philister an Herz und Geist.
So mag denn der Himmel schalten und walten,
Daß alles sich mag zum Besten gestalten
Der Altenburg!»

Er hebt den Arm zum Einsatz und befiehlt: «Chor!», und
alle stimmen bekräftigend ein:

«Der Altenburg!»

Sie trinken Champagner, ein Hochruf löst den anderen ab.
Immer wieder setzt sich einer an den Flügel und hämmert
dröhnend drauflos. Preller zieht einen Skizzenblock hervor
und beginnt, die einzelnen Köpfe zu porträtieren. Genast
erzählt Theateranekdoten. Dicker Tabaksqualm erfüllt die
Luft. Schon hängt hie und da einer mit lang ausgestreckten
Beinen und halbgeschlossenen Augen auf einem Diwan oder
einem Sessel. Auch Liszt ist berauscht; er sitzt auf dem
Klavierhocker, trommelt abwechselnd mit Ellbogen und
Fersen auf die Tastatur und bringt dabei wahrhaftig noch
eine Melodie zustande, in die die anderen grölend einfallen.
Da klingen von den drei Türmen unten die Glocken.

«Prosit! Prosit! Prosit Neujahr!» Sie reißen die Fenster auf und beugen sich mit erhitzten Köpfen hinaus. Sie stürzen den Champagner hinunter und rufen: «Prosit Liszt! Prosit großer Padischah! Prosit Altenburg!» und werfen die Gläser hinaus, daß es klirrt und die Scherben fliegen! Das Jahr 1855 beginnt.

Das Jahr 1855 beginnt. Fast sieben Jahre leben Liszt und die Fürstin nun schon auf der Altenburg; sieben Jahre der Gemeinsamkeit, sieben Jahre des Fortschreitens, sieben Jahre, in denen Liszt nicht wie in früheren Zeiten die vergänglichen Triumphe eines Virtuosen gefeiert, sondern in eigenen Schöpfungen seinem Leben und Streben bleibenden Ausdruck verliehen hat. Neue Wege sind beschritten. Die Ausdrucksmöglichkeiten der Instrumente, des Klaviers wie der Orgel, sind in bisher ungeahnter Weise erweitert. Die Dirigierkunst ist vergeistigt, neue Musik ertönt, Musik, in der bewußt der Zusammenhang mit Dichtung erstrebt wird, in der neue Mittel der Tonsymbolik und der Rhythmik herrschen. Mit genialem Können und leidenschaftlichem Temperament hat Liszt alle Möglichkeiten der Musik ergriffen, um ihr neue Wirkungen zu entreißen. Ein Höhepunkt ist erreicht auf der Altenburg.

Mit dem neuen Jahr wird Liszt vor eine hohe Aufgabe gestellt. Die größte Kathedrale Ungarns soll in Gran eingeweiht werden. Liszt, der Ungar, ist dazu ausersehen, die Musik für die erste Messe, die dort zelebriert wird, zu komponieren.

«Domine, non dignus sum» – das ist sein erster Gedanke. «Herr, ich bin nicht würdig.» Und dennoch! Er muß versuchen, auch das Allerheiligste mit den neugewonnenen Möglichkeiten seiner Musik zu sagen! In einem Zuge schreibt der sonst endlos Feilende die «Graner Messe» nieder – «mehr gebetet als komponiert».

Die Fürstin und Magnolette sind in dieser Zeit auf Reisen, in Berlin, in Paris — in der großen Welt. Sie pflegen alte Beziehungen und knüpfen neue an, zu Künstlern, zu Staatsmännern, zu allem, was einen Namen hat.

«Weimar bietet ihnen gegenwärtig wenig Annehmlichkeiten», berichtet Liszt. «Glücklicherweise ist in der letzten Zeit die Freude und das leidenschaftliche Interesse, das die Fürstin an Kunstwerken nimmt, wieder erwacht, so wird es ihr leichter fallen, ihre Zeit in diesem Sinne angenehm und nutzbringend zu verwenden. Das wird ihr dann von mehr Wert sein als die Spaziergänge in unserem Park oder unfruchtbare Briefschreibereien.»

Ach, die Spaziergänge im Weimarer Park ... Zwanzig Jahre später, als alles, was sie erhoffte, fehlgeschlagen ist, wird sich die Fürstin in Rom voll Sehnsucht daran erinnern, an die Sternbrücke mit den schönen einfachen Bogen über der Ilm, an die klare Quelle der Leutra und an die alte schmale Steinbrücke am Ende des Parks in Oberweimar, wo die Bauernpferde getränkt werden. Welch unvergeßliche Pastorale!

Am 22. August dieses Jahres kommen die drei Kinder Liszts, die aus der Verbindung mit Marie d'Agoult stammen, zum erstenmal aus Paris nach Deutschland auf die Altenburg zum Vater: Blandine, Cosima und Daniel. Sie bringen Fröhlichkeit und Jugend, Lärm und unbeschwerende Zärtlichkeit mit sich. Vierzehn Tage lang ein ganz neues Leben in der Altenburg — Familienleben! Wenn Liszt des Abends spät aus der Stadt die Stufen durch das Wäldchen emporsteigt und auf die Chaussee hinaustritt, dann erblickt er kein dunkles Haus, dann leuchtet Licht aus beiden Ecksalons und dem Saal. Und nicht fremde Gäste, sondern die eigenen Kinder erwarten ihn, nicht mit Forderungen, nur mit guter Laune und Anteilnahme.

Alle sind traurig, als die glückseligen Tage zu Ende sind. Liszt bringt die Töchter zu Hans von Bülows Mutter nach Berlin. In Berlin sind sie ihm näher, und sie sind dem unerwünschten Einfluß ihrer Mutter entrückt. Nur Daniel bleibt noch bis Oktober beim Vater. Liszts Sohn! Er ist jetzt sechzehn Jahre alt. Blond und schwerelos, wie aus einer anderen Welt, so geht er durch die Räume des Hauses. Er macht seine Verbeugung vor den Gästen, er gibt wohlerzogen Antwort, er musiziert ein wenig. Er stöbert in der Bibliothek und stößt, als er zufällig Goethes «Campagne in Frankreich» aufschlägt, auf die Schilderung, wie der Stallmeister von Seebach den Herzog und die Truppen und Goethe durch tatkräftiges Eingreifen vor harten Hungertagen bewahrt hat. Er klappt das Buch wieder zu und stellt es zurück. Er weiß nichts vom Stallmeister von Seebach und nicht sehr viel von Goethe. Dann geht er in den Garten. Er sieht zu den Fenstern auf, zum Blauen Zimmer, zu der Kapelle, schlendert an den hohen Fichten vorbei, wobei er spielerisch einen Zweig herabzieht, und überquert die Chaussee. Drüben steht er an dem Denkstein für Henriette Seebach und entziffert die verwaschene Inschrift. Ihre Kinder Amalie, Helene, Gustav — zwei Mädchen und ein Knabe, wie bei uns, denkt er und läßt sich für eine Weile auf dem Grashügel daneben nieder. Er geht zurück über die Straße in den Wirtschaftshof hinein und entdeckt den roten Quader für Bellotte und lächelt. Dann steigt er im Hinterhaus zu Kostenecka hinauf, und sie sprechen miteinander, obwohl Daniel kein Russisch kann und Kostenecka sehr wenig Französisch und noch kümmerlicher Deutsch. Aber es braucht gar nicht so vieler Worte, damit sich der Knabe mit der alten Frau verständigt.

Es braucht auch nicht vieler Worte zwischen Vater und Sohn. Daniel geht wie ein Segen durch das Haus; er geht mit schwerelosem Schritt an der dunklen und an der hellen Seite vorbei, ohne zu fragen; aber er scheint alles zu sehen, alles zu verstehen.

Während der Sohn bei ihm ist, komponiert Liszt den 13. Psalm. Wie oft sind in leidvollen Nächten der Altenburg die uralten Worte erklungen: «Herr, wie lange willst du mein so gar vergessen? Wie lange verbirgest du dein Antlitz vor mir?» Jetzt gelingt es Liszt, den schmerzlichen Klagegesang gläubig bejahend zu gestalten. In ergreifenden Tönen klingt das Leid auf, um sich in wunderbarer Schönheit zu lösen und zu verkünden: «Ich will dem Herrn singen, daß er so wohl an mir tut!»

Zu Liszts vierundvierzigstem Geburtstag am 22. Oktober 1855 ist die Fürstin mit der Prinzessin Marie zurückgekehrt, und Neu-Weimar feiert den geliebten, umstrittenen Meister in seinem Haus auf dem Berg. Der ungarische Pfarrer Steinacker, der Liszt zuliebe nach Weimar gezogen ist und in Goethes Gartenhäuschen am Horn wohnt, hat ein Festspiel gedichtet, «Des Meisters Walten». Preller hat lebende Bilder dazu entworfen, Genast führt Regie, Schüler und Freunde spielen und musizieren.

Alle Fenster der Altenburg sind festlich erleuchtet. Überall sind die Türen ausgehängt, das Treppenhaus ist mit Palmen und Lorbeer geschmückt, der Garten mit Lampions erhellt. Über hundert Personen sind geladen.

Nach dem Souper beginnt die Aufführung. Klänge aus Liszts Werken und aus den Werken derer, die er bekannt gemacht hat, erschallen; die Genien des Lebens, der Kunst, des Ruhms, der Zukunft, der Humanität huldigen ihm, dem Meister. Sie singen:

«Er ist geweiht, gewählt und auserkoren,
Im Chor der Geister hoch als Geist zu stehen!»

Zuletzt bekränzt Prinzessin Marie als Genius der Freude in griechischem Gewand seine Büste mit goldenem Lorbeerkranz. Dann ertönen die «Festklänge», jene symphonische Dichtung, die er einst für Carolyne in Erwartung der nahen Hochzeit komponiert hat. Da sucht Liszt die Augen der Fürstin, deren Blick mit unbeschreiblichem Ausdruck an ihm hängt. Nur sie beide und der Hof wissen, welche Hindernisse sich ihrer legalen Verbindung jetzt wieder entgegengestellt haben.

Der Bruder Maria Pawlownas, Zar Nikolaus I., ist gestorben. Er hatte seiner Schwester zuliebe die heikle Angelegenheit Wittgenstein einfach ruhen lassen. Nun aber kommt der Neffe der Großherzogin, Alexander II., zur Regierung, und sein Kabinett hat die Untertanin Carolyne von Sayn-Wittgenstein aufgefordert, unverzüglich zur Regelung ihrer Verhältnisse nach Rußland zurückzukehren. Carolyne aber sieht sich schon auf ewig getrennt von Liszt, sie sieht sich deportiert, und sie leistet dem Befehl keine Folge. Dieser offenen Widersetzlichkeit begegnet die russische Regierung, indem sie die Verbannung über die Fürstin ausspricht und ihre Güter konfisziert.

Der sachsen-weimarische Hof darf eine Verbannte nicht mehr schützen. Außerdem aber beginnt nun auch die finanzielle Seite des Lebens auf der Altenburg Schwierigkeiten zu bereiten. Die fürstliche Hofhaltung mit all den Gästen ist kostspielig. Und wenn auch Liszt so manches leichte Salonstück verfertigt, allein um Geld zu verdienen, wenn er auch Schüler aus der Stadt annimmt, die ihn nur seines Ruhmes wegen suchen, wenn auch weder er noch die Fürstin solche Sorgen allzu schwer nehmen, so ist es doch ein peinlicher Skandal, in den der Hof und die russische Gesandtschaft eingreifen müssen, als weimarische Geschäftsleute die Fürstin öffentlich verklagen wegen einer Schuld von fünfzehntausendsechshundert Talern.

Aber es gilt noch mehr zu ertragen: Am 27. Januar 1856 dirigiert Liszt beim Mozart-Einhundertjahrfest in Wien. Weil er, der Gehaßte, dirigiert, lehnt es Clara Schumann ab, dort zu spielen. Die Presse bemächtigt sich sogleich eifrig dieser Sache und bauscht sie noch auf. Die Welt ist um eine Sensation reicher, und unverdient fällt Schatten auf Liszts Persönlichkeit.

Mitte Februar kommt Berlioz wieder auf die Altenburg. Sein «Benvenuto Cellini» wird gegeben und seine «Faust»-Musik. Liszt ist es ein Bedürfnis, den alten französischen Freund für Wagner zu erwärmen, damit sie alle drei vereint den neuen Weg in der Musik beschreiten können — aber Berlioz verläßt in plötzlichem Affront die «Lohengrin»-Aufführung mitten im Spiel. Er ist ein unberechenbarer, schwieriger Mensch. Eifersucht und Mißgunst, vielleicht auch das Gefühl eigener Unzulänglichkeit lassen seine Freundschaft zu Liszt mit einemmal erkalten, die doch fünfundzwanzig Jahre lang Bestand gehabt hatte.

Auch der Aufführung der «Graner Messe» setzen sich tausend Widerstände entgegen. Auf einmal heißt es, die Messe sei gar nicht in Auftrag gegeben; sie sei zu lang; sie sei zu weltlich. Und in vielen diplomatischen Briefen muß der Kampf um die Aufführung des Werks durchgefochten werden.

Am 11. Mai dieses unguten Jahres geschieht etwas Herzbewegendes: Hans von Bülow schreibt, er bemühe sich um Cosimas Hand. Liszt lächelt nachdenklich: einer seiner Lieblingsschüler als Gatte seiner Lieblingstochter, wie schön!

Im Juni schickt der Maler Eduard Steinle aus Frankfurt eine Zeichnung, die die Fürstin bei ihm für den Freund in Auftrag gegeben hat. Sie stellt Liszts Namenspatron dar, den heiligen Franziskus von Paula. Der Heilige schreitet furchtlos über sturmgepeitschtes Meer. In der linken Hand trägt er glühende Kohle, die rechte hat er segnend erhoben. «Caritas», das Leitwort des Frommen, steht ihm zu Häupten. Liszt betrachtet das Bild lange. Der über das Meer schreitende Christus, der heilige Franz von Assisi mit den Wundmalen in den Händen und jener Heilige, der die Barmherzigkeit predigte – alles ist in einer einzigen Gestalt vereinigt.

Die Zeichnung wird gerahmt und steht hinfort neben dem Goldbarren und der unauflösbar verschlungenen Kette auf dem Schreibtisch im Blauen Zimmer.

Unter diesem neuen Zeichen wird am 8. Juli 1856 die «Dante-Symphonie» endlich vollendet. Seit fünfundzwanzig Jahren beschäftigten Liszt die gewaltigen Bilder des Infernos und des Paradieses. Schon einmal hatte ja eine heiße ungesetzliche Liebe sein Leben bestimmt; er hatte sie erlebt, genossen, erlitten und bereut in einem. Einzige Rettung war der Glaube an göttliche Gnade. Dantes «Göttliche Komödie» schien ganz für ihn geschrieben zu sein, und er hatte sowohl die tiefe Wollust wie die reuigen selbstzerfleischenden Anklagen in Musik auszusprechen versucht. Eingetaucht in neue Leidenschaft, spielte er damals in Woronince der Geliebten erste Versuche der Komposition vor, und Carolyne hörte, lauschte, verstand, vertiefte alles.

Nun endlich hatten die einzelnen Melodienfolgen Zusammenhang und Gestalt gewonnen. Sind dazu Leid und Stürme seines augenblicklichen Daseins notwendig gewesen? Neben Szenen von leidenschaftlichem Pathos und Schmerz erklingen Töne von überirdischer Schönheit und himmlischer Ruhe.

Inzwischen sind auch die anderen symphonischen Dichtungen im Druck erschienen, «Tasso», «Les Préludes», «Prometheus», «Orpheus», «Mazeppa» und die «Festklänge». Sie sind alle auf der Altenburg in der Nähe Carolynes entstanden. Ihr gilt auch die Widmung: «Ihr, die ihren Glauben

Notenblatt der Ungarischen Rhapsodie Nr. 4

Daniel Liszt

I Altenburg Nach Textbogen

Blandine und Cosima Liszt

1. Liszt erscheint mit überlegenem Lächeln, welches von seinem bescheidenen Priesterrock wohltuend gemildert wird. Donnernder Applaus, stürmische „éljen"-Rufe.

2. Der erste Akkord. Rrrrrum – csin! Er schaut zurück, als wenn er sagen würde, gebt acht, jetzt kommt's!

3. Er schließt seine Augen, als wenn er nur für sich spielen würde. Festliches Brummen der Saiten.

4. Pianissimo. Der heilige Franziskus Liszt von Assisi spricht mit den Vögeln. Sein Gesicht verklärt sich.

Acht ungarische Karikaturen von Jankó

5. Grübeleien eines Hamlet. Innenkämpfe eines Faust.
   Tiefe Stille. Selbst das Husten wird zum Seufzer.

6. Chopin. George Sand. Rückerinnerungen.
   Süße Jugend, Duft, Mondschein und Liebe.

7. Dante. Die Hölle. Die Verdammten (unter ihnen auch
   das Klavier) stöhnen. Fieberhafte Aufregung.
   Der Sturm schlägt die Türen der Hölle zu. Bum!

8. Er spielte nur. Nicht nur für uns, auch mit uns.
   Mit imponierender Bescheidenheit verneigt er sich.
   Klatschender Applaus, betäubende „éljen"-Rufe.

Weimarisches Hoftheater

Das Rathaus zu Weimar

Das Haus auf der Altenburg um 1900

durch die Liebe bewährt hat, die die Hoffnung aufrechterhalten hat durch alle Leiden — die ihr Glück aufgebaut hat auf das Opfer. Ihr, die die Gefährtin meines Lebens ist, das Firmament meiner Gedanken, das lebendige Gebet und der Himmel meiner Seele, ihr, Jeanne Elisabeth Carolyne!» Welch ein beredter Schlußpunkt unter die «Göttliche Komödie»!

Mitte August reist Liszt nach Ungarn ab, um dort bei der Einweihung der Kathedrale in Gran seine Messe zu dirigieren. Carolyne gibt ihm den Reisesegen: «Möge keines der vier Elemente dich verschlingen, nicht das Feuer, nicht das Wasser, nicht die Erde, nicht die losgelassenen Winde!»

Am 31. August 1856 zelebriert der Erzbischof-Primas von Ungarn vor viertausend Menschen in Anwesenheit des Kaisers Franz Joseph die Messe in dem neuen Dom mit Liszts Musik.

«Das ist wohl ganz neue Musik, aber zum Niederknien», so sagen einige.

Die öffentliche Presse jedoch fällt darüber her: «Er hat den Venusberg in die Kirche verpflanzt!» — «Er hat Wagnersche Zukunftsmusik in eine Messe gebracht!» — «Es scheint, daß Liszt wirklich unfähig ist, sich von seiner Unfähigkeit als Komponist zu überzeugen!» Der bekannte Wiener Kritiker Hanslick schreibt: «Sein Werk spiegelt uns wie eine Fata Morgana das Bild eines geistreichen Mannes, dessen feines unternehmendes Lächeln zu sagen scheint, sehr seltsam, wenn sich nicht eine Unzahl geistreicher Pointen herausfinden ließen, an die bisher kein Mensch gedacht hat!»

Auch Kaiser Franz Joseph hat kein Wort für den Komponisten, keine Begrüßung, geschweige denn Anerkennung oder Dank, und Liszt verläßt allein und unbeachtet vorzeitig die Kathedrale, in der sein erstes sakrales Werk erklang.

Er schlendert über ungarische Straßen, durch ungarische Lokale, und wo er erscheint, begrüßt ihn das Volk mit begeisterten Eljen-Rufen. Zu dem großen Festmahl nach der Aufführung der Messe ist der Komponist nicht geladen. Ihn ficht es nicht an. Seine Musik ist als Gottesdienst erklungen. Der erste Schritt auf dem Wege, den die Altenburg ihn gehen hieß, der Weg zur Kirchenmusik, ist gesegnet.

Dieser Aufenthalt in Ungarn, in seiner Heimat, macht ihn alle Ketten Weimars vergessen: Die Nächte verbringt er irgendwo in Gartenlokalen bei Zigeunermusik. Er lauscht, und er trinkt, er trinkt unermahnt so viel feurigen Wein, wie er will, und lauscht — selber ein Zigeuner. Am Morgen aber beugt er mit den Mönchen in stiller Kirche das Knie vor dem Allerheiligsten — als einer der Ihren: nun Konfrater des dritten Ordens.

«Man würde mich auf deutsch ganz gut so bezeichnen können: zu einer Hälfte Zigeuner, zur andern Franziskaner!» — lautet es in dem Reisebericht nach der Altenburg. Beides ist Ausdruck seines innersten Wesens, und beides wird bis zuletzt unvereint in seinem Leben bestehen bleiben.

Ehe Liszt Ungarn verläßt, hat er noch ein Erlebnis besonderer Art: Er begegnet auf der Straße einem Abdecker, der einen herrenlosen Hund am Strick hinter sich herzieht. Das Tier hat ein auffallend schönes schwarzes glänzendes Fell. Den Kopf widerstrebend zwischen den Vorderpfoten auf dem Pflaster, dreht es flehend die Augen zu Liszt auf. Er kauft das Tier und schickt es mit seinem Diener voraus nach der Altenburg. «Was Black angeht», so schreibt er der Fürstin, «für den man übrigens einen anderen Namen suchen muß, so hat er absolut nichts Unheiliges an sich. Ich werde Ihnen erzählen, wie ich dazu kam, ihn nach der Altenburg zu schicken. Ich bin sein Retter ... und versichere Ihnen, daß er nicht den Schatten eines Teufels auf seiner schwarzen Haut hat.»

Black bekommt seine Hütte am Fuß der Fichte auf dem Wirtschaftshof neben dem Gedenkquader für Bellotte. Er ist kein Rassetier wie diese edle Hündin, aber auch er hängt seinem neuen Herrn mit unerschütterlicher Zuneigung an.

Zunächst bewacht Black nur ein leeres Haus. Die länglichen grünen Früchte an der Kornelkirschenhecke wachsen und schwellen und röten sich. Sie werden süß und saftig und weich. Schließlich sind sie schwarzrot vor Reife, fallen auf die Gartenwege und hinterlassen dort dunkelrote Flecke. Niemand beachtet es. Kostenecka ist nicht mehr da. Ein blutjunges Mädchen, Pauline Apel, ist statt ihrer zur Wartung des Hauses angenommen worden. Sie schaute in fassungslosem Erstaunen zu Liszt und der Fürstin empor: solchen Menschen war sie noch nie begegnet. Sie wird Liszts spätere Wohnung am Park noch viele, viele Jahre nach seinem Tod treu hüten, als sei sie ein Heiligtum.

Die Bewohner der Altenburg sind von August bis Weihnachten fort. Sie verleben den Herbst in Zürich bei Wagner. Liszts «Préludes», die neuen Symphonien «Faust» und «Dante» erklingen dort, und Wagner spielt die ersten Teile vom «Ring des Nibelungen», «Das Rheingold» und «Die Walküre». Ein Rausch der Gemeinsamkeit, der Musik, der Ideen erfüllt alle.

Wagners neue Musikdramen verlangen neue Mittel der Aufführung. Ein besonderes Theater mit geeigneten Sängern, mit großem Orchester, mit neuartigen Regie- und Inszenierungsmöglichkeiten wäre nötig. Dieses Theater sollte ein Festspielhaus sein, in dem allein die Werke Wagners zur Aufführung kommen. Wo sollte es stehen, wenn nicht in Weimar! Und wo in Weimar, wenn nicht auf der Höhe der Altenburg! Nördlich des Hauses, nach dem Schießhaus zu, ist eine große freie Wiese. Dort könnte es sich erheben. Und im Geist sehen die Freunde in der Schweiz das gelbe steinerne Rechteck des Seebachschen Hauses mit dem schmalen Portal unter seiner dreiteiligen breiten Fensterfront vor sich, das Haus, das der Stadt Weimar so nah ist und so fern und das durch die große Straße mit der Welt verbunden ist. Sie stellen sich vor, wie es einen Nachbarn gewinnt, einen größeren, bedeutsameren Nachbarn, von dem gleichen Geist erfüllt wie die Altenburg.

«Die Altenburg ist meine Wartburg», jubelt Wagner, und ein dringlicher Brief Liszts geht nach Weimar an den Großherzog Karl Alexander: «Es dünkt mich nicht nur schicklich, sondern notwendig und unerläßlich, daß Wagners ‹Nibelungen› an erster Stelle in Weimar zur Aufführung gebracht werden. Diese Aufführung ist ohne Zweifel nicht einfach und nicht leicht. Sie erfordert besondere Maßnahmen wie die Erbauung eines Theaters und das Engagement eines den Absichten Wagners genau entsprechenden Personals. Wagners Werk ist halb beendet und wird diese Zeitepoche beherrschen als das monumentalste Kunstwerk der Zeit. Man sollte es nicht verhindern, auf dieser Welt zu leuchten und zu strahlen.»

Aber Karl Alexander antwortet ausweichend: «Nach Ihrer Rückkehr werden wir die Möglichkeiten besprechen.» Nach vielen Besprechungen lehnt er, unentschlossen und bedenklich, den Plan, ein Festspielhaus auf dem Schießhausgelände neben der Altenburg zu errichten, ab. Und niemand denkt daran, daß im Jahre 1811 Goethe auf jener Stelle gestanden hat, um den großen Kometen zu bewundern. Es hätte gut an diese Stelle gepaßt, das Festspielhaus Wagners!

Am 5. Januar 1857 ist abermals große Gesellschaft auf der Altenburg. Über dreißig Personen sind geladen, Fallersleben, Genasts, Prellers, Bronsarts, Schorns und die Getreuen vom Theater wie das Sängerehepaar Milde. Rietschel aus

Dresden ist anwesend und die Schauspielerin Marie Seebach. Um ihretwillen findet das Fest statt, denn sie spielt als Gast im Weimarer Theater das Gretchen in Goethes «Faust», und sie ist ein reizendes Gretchen. Zufällig nur trägt sie den Namen Seebach; sie ist von bürgerlicher Herkunft und hat nichts mit dem Sonderling zu tun, der Karl Augusts Stallmeister war und das Haus baute, in das sie nun eintritt.

Es wird wie immer zu viert an kleinen Tischen gespeist, die unauffällig hereingetragen werden, wenn alle versammelt sind. Die Fürstin ist in kostbaren cremefarbenen Spitzen erschienen, zu denen sie riesige funkelnde Rubine und einen roten Samtüberwurf trägt. Sie sitzt neben Rietschel, dem Scheuen, Unauffälligen. Liszt im kurzen schwarzen Samtrock; neben ihm die liebliche, blondhaarige Schauspielerin, das umjubelte erste Gretchen; auf seiner anderen Seite Rosa von Milde, die gefeierte erste Elsa aus «Lohengrin». Es gibt wie immer Sekt und angeregte Gespräche. Rietschel erzählt in humorvoller Weise von den großen Gestalten des Goethe-und-Schiller-Denkmals, die weiterhin nackt in seinem Atelier stünden und alle Besucher entsetzten. Das Problem der Bekleidung sei noch immer nicht gelöst, sagt er mit seiner leisen Stimme in sächsischem Tonfall, da sich der König von Bayern, einer der Stifter des Erzes, ständig einmische. Ach, und Schillers Kopf! Als Rietschel ihn zum drittenmal abgeschlagen habe, weil er ihm nicht gelungen schien, sei die ganze Werkstatt in hellen Aufruhr geraten.

Genast und Fedor von Milde erzählen Theateranekdoten. Preller, der Maler, berichtet über den Stand der Wartburgrestauration und die Schwind-Bilder. Und dann wird musiziert.

Verbindlich plaudernd kündigt der Hausherr an, was der Gäste harrt. «Fräulein Seebach — sie ist übrigens nicht mit dem Erbauer dieses Hauses verwandt, sie erwirbt sich ihren eigenen Adel — hat sich bereit erklärt, das Melodrama, das übermorgen öffentlich aufgeführt wird, heute hier zu sprechen.»

Es handelt sich um Hebbels Ballade «Der Heideknabe», die Schumann vertont hat.

Liszt beginnt zu spielen, und jeder der Zuhörer ist bereits beim Präludium gefangengenommen. Niemand bemerkt, daß Liszt nur die Linke gebraucht, weil ihn an der Rechten eine schmerzhafte Nervenentzündung plagt. Zu seiner Musik ertönen die Worte der Dichtung, meisterhaft gesprochen von geschulter Stimme. Düstere, hintergründige Ballade, vertieft, verstärkt — entwertet, der Wortkraft beraubt? Welch Experiment!

Die Zuhörer im Saal spenden nachdenklich Beifall.

«Wort und Musik, dienstbar der gleichen Idee», erklärt die Fürstin. «Es ist, als wäre man irgendwie dem Schöpferischen selbst auf der Spur.»

«Ja», entgegnet Rietschel melancholisch, «im allgemeinen ist ja der Künstler immer allein und jede der Künste ebenfalls.»

«Nur die Schauspielkunst nicht, die ist mit allen andern Künsten verbunden, nicht wahr, Frau von Milde?» sagt Fräulein Seebach fröhlich. «Sie kann dem Dichter, dem Musiker, dem Maler dienen.»

«Vielmehr der Maler dient ihr», verbessert Preller.

«Nun ja, darauf kommt es nicht an. Die Altenburg ist jedenfalls ein Haus, wo alle Künste zusammenwirken dürfen. Wenn ich einmal alt bin, dann will ich mir neben der Altenburg ein Haus bauen.»

«Ich freue mich darauf», sagt Liszt und hebt liebenswürdig lächelnd sein Glas, «obwohl ich nie erleben werde, daß Sie alt werden.»

Jeder lächelt, und keiner ahnt, daß Marie Seebach wirklich einmal ein Heim für alte Schauspieler erbauen wird — und zwar auf dem Berg neben der Altenburg, nicht allzuweit entfernt vom Haus des Stallmeisters Seebach.

Am 26. Februar 1857 dirigiert Liszt im Gewandhaus in Leipzig «Les Préludes» und «Mazeppa», drei Tage später noch den «Tannhäuser»; dann kehrt er nach Weimar zurück.

Ohne den Mantel auszuziehen, geht er die Treppe hinauf und findet die Fürstin im blauen Ecksalon. Er sieht blaß und übermüdet aus und läßt sich in einen Sessel am Fenster fallen. «Ich kann nicht mehr», sagt er, «ich kann nicht mehr.»

«Es soll ja eine richtige Schlacht stattgefunden haben zwischen den Zischern und den Applaudierenden», sagt die Fürstin, die schon durch eifrige Kundschafter Nachricht über die Aufführung des «Mazeppa» bekommen hat. «Aber wenn es nichts Rechtes wäre, so würden sie nicht so schreien.»

Liszt zieht einen Pack Journale aus der Manteltasche hervor, blättert darin und liest erregt vor: «‹Liszt, der berüchtigte Nichtkomponist, dessen Tonschmierereien direkt eine Herausforderung zum Zischen und Pfeifen sind ...› — ‹Liszt, der Fahnenträger einer musikalischen Partei, welche Mozarts Kompositionen zu den abgetanen Ahnenmärchen und Großmutterschwächen wirft ...› — ‹Jeder Mensch mit gesunden Sinnen wird sich von dem dissonierenden Geheul, das einen so wesentlichen Teil der Mazeppa-Symphonie bildet, abwenden...› Das ist Hanslick!» Er knüllt das Papier zusammen und wirft es zu Boden.

«Solln dich die Dohlen nicht umschrein», zitiert die Fürstin mit fremdem Akzent, «mußt nicht Knopf auf dem Kirchturm sein.» Sie spricht das Wort Knopf so vorsichtig aus, wie Maria Pawlowna einst das Wort Umpferstedt. «Jeder andere», fügt sie bewundernd hinzu, «wäre in den neun Jahren wohl x-mal versunken und ertrunken. Du hältst unser Schiff immer noch über Wasser.»

«Ja, ja», sagt Liszt abwehrend, und nach einer Weile: «Sie haben gelacht, Carolyne, bei dem Beckenschlag, mit dem der Mazeppa-Ritt anfängt, hat der ganze Saal gelacht!» Er stützt müde und nachdenklich den Kopf in die Hand. Um seinen Mund ziehen sich tiefe Falten. Die seltsamen Warzen, die sich mit der Zeit vermehren und vergrößern, geben seinem schönen Gesicht einen besonderen, tragischen Zug.

Zuviel der Angriffe, zuviel der Enttäuschungen, zuviel der Anforderungen. Krankheit verschafft Liszt und der Fürstin die Ruhe, die sie sich von selber nicht gönnen. Die Fürstin hat einen ihrer schweren Rheumatismusanfälle. Liszt leidet an einer schmerzhaften Entzündung an den Beinen. Wochenlang liegen beide danieder und sind mit ihren Gedanken allein.

Doktor Goullon, der Arzt, geht täglich von einem Krankenzimmer zum andern. Hier verordnet er Bettruhe und dort Bewegung. Und wo er Ruhe verordnet, will der Patient aufstehen, und wo er Bewegung verordnet, will die Patientin liegenbleiben.

Magnolette versorgt die beiden Kranken, und auf den Tabletts bringt sie regelmäßig Briefchen von einem Zimmer ins andere.

In einem fragt die Fürstin gewollt scherzhaft, «wie sich der Herr Doktor befinden, ob Niederdero sich nicht langweilen und mit was Sie sich beschäftigen». Antwort: «Ich langweile mich immer, wenn ich Sie nicht sehe, und so habe ich Magnolette gebeten, mir Ihre Daguerreotypie zu bringen, die mir nun eine charmante Gesellschaft in meinem Bett leistet. Ich bin übrigens dabei, den Chor ‹Das Ewig-Weibliche› zu nuancieren.» Liszt tut die letzten Striche an seiner «Faust-Symphonie».

Ein anderer Brief enthüllt Dunkles: «Das waren traurige Ereignisse wieder in Ihrer Nacht, unendlich Geliebte. Wenn Liebe in diesem Fall Medizin sein könnte, wie schnell wären Sie geheilt! Aber es bleibt mir nur die herzzerreißende Trauer, unfähig alles mit ansehen zu müssen. Vertrauen wir Gott auch in den Bitternissen unseres Schicksals.»

In dieser Zeit sehnt sich die Fürstin nach Peter Cornelius, der alles versteht und immer zu trösten weiß. Auf ihren Ruf hin kommt er sofort und bezieht für ein halbes Jahr wieder sein Zimmer auf der Altenburg. Er arbeitet an einer Oper. Es ist eine komische Oper und soll «Der Barbier von Bagdad» heißen. Liszt und die Fürstin sind nicht recht mit dem Stoff einverstanden. Trotzdem verspricht der Meister, die Oper in Weimar aufführen zu lassen, sobald sie fertig ist, und er fördert den jungen Komponisten, wo er kann.

Die Altenburg ist ungewohnt still. Die Kastanien, die beiden roten und die gelbe, treiben aus glänzenden, dunkelbraunen Schalen ihre flaumigen Blätter und Knospen; dann blühen sie, welken und streuen ihre Blüten wie einen roten, gelbgeränderten Teppich unter sich. Aber niemand schreitet darüber hinweg.

Am 6. Mai dieses Jahres ist Friedrich Hebbel für einen Tag auf der Durchreise in Weimar. Er versucht vergeblich, das Goethehaus zu besichtigen — die Enkel halten es scheu und argwöhnisch verschlossen —, dann besucht er das Schillerhaus und die Fürstengruft. «Herr Dr. Goethe ist leider nicht mehr hier und Dingelstedt noch nicht», schreibt er an seine Frau in Wien. Am Nachmittag wandert er einsam nach Tiefurt. Sein Weg führt ihn an dem Haus vorbei, in dem zu Anfang des Jahres sein «Heideknabe» erklungen ist und das zu einer besonderen Station auch auf seinem Schicksalsweg werden soll. An diesem Frühlingstag aber ahnt Hebbel nichts davon. Er sieht das Haus am Wege wohl kaum, und die Türen der Altenburg bleiben geschlossen. Als Liszt im

November 1841 ebenso achtlos hier vorbeiging, saß Hebbel frierend und verzweifelt in Hamburg bei Elise Lensing, und ihrer beider kränkliches Söhnchen Max schrie.

Ende Mai dirigiert Liszt als Gast auf dem Niederrheinischen Musikfest in Aachen «Les Préludes» und Werke von Berlioz und Wagner. Der Abend endet mit einem Theaterskandal, in dem die Zuschauer ihren Unmut gegen Liszt bekunden.

Am 18. August wohnt Liszt in Berlin der Hochzeit seiner Tochter Cosima mit Hans von Bülow bei. Sofort nach seiner Rückkehr setzen in Weimar die Vorbereitungen für das große Septemberfest ein. Der Geburtstag Karl Augusts jährt sich am 3. September zum hundertsten Mal. Anläßlich dieser Feier soll der Grundstein zu einem Denkmal des Fürsten gelegt und Rietschels Doppelstandbild von Goethe und Schiller endlich aufgestellt werden. Liszts «Faust-Symphonie» soll im Theater gespielt und seine symphonische Dichtung «Die Ideale», angeregt durch Schillers «Elegie», uraufgeführt werden. Man erwartet Hunderte von Fremden. Auch Liszt hat Einladungen verschickt. Da erhält er Ende August Joseph Joachims Antwort.

«Die Beharrlichkeit der zutrauensvollen Güte, mit der Du, vielumfassender, kühner Geist, Dich zu mir neigst, um mich dem Verein der von Deiner Kraft bewegten Freunde angefügt zu sehen, läßt mich denn nicht mehr verschweigen, was, ich gesteh es beichtend ein, Dein männlicher Geist früher zu hören fordern mußt', ja, worauf er als solcher ein Anrecht hat: Ich bin Deiner Musik gänzlich unzugänglich; sie widerspricht allem, was mein Fassungsvermögen aus dem Geist unserer Großen als Nahrung sog.»

Liszt liest den endlosen, überschwenglichen Satz noch einmal. Da steht es: «Ich bin Deiner Musik gänzlich unzugänglich.»

Joachim, der geliebte «König der Geiger» — nun auch er auf der Gegenseite?!

In diesen Septembertagen treffen die Altenburg noch andere Schläge: Die Verbannung der Fürstin aus Rußland hatte den weimarischen Hof gezwungen, den Verkehr mit ihr abzubrechen. Bei dem großen offiziellen Fest am 9. September zeigt es sich nun, wie devot und engherzig die sogenannte Gesellschaft seinem Beispiel folgt. Der Hofprediger, Herr Dittenberger, weigert sich, in einer Soiree der Fürstin vorgestellt zu werden, mit der laut geäußerten Begründung: «Ich kann mich nicht einer Dame vorstellen lassen, gegen die ich von Amts wegen einschreiten müßte.»

Als sich die Fürstin die Enthüllung des Rietschelschen Denkmals von einem Hause am Theaterplatz aus mit ansehen will, verschwinden sämtliche Damen bei ihrem Eintritt auffällig-unauffällig aus dem Zimmer.

Als sie Liszts Theaterloge betritt und sich dort ihrer Gewohnheit gemäß eine Zigarre anzündet, erlaubt sich der Logenschließer, ihr vertraulich auf die Schulter zu klopfen und zu sagen: «Frau Kapellmeistern, das dürfen Se hier nich!» — Und früher einmal schliefen des Nachts zwei Leibeigene auf dem Fußboden vor ihrer Tür, des leisesten Winks gewärtig, und haschten nach ihrem Rocksaum, um ihn zu küssen, wenn sie vorüberging.

Um so bewußter sammelt die Altenburg ihren eigenen Hofstaat um sich. Alle Zimmer des Hauses sind von Gästen belegt. Im Erdgeschoß steht zu jeder Zeit in großzügiger Gastlichkeit ein kaltes Büfett für die Künstler bereit. Anscheinend unerschüttert, repräsentiert das Haus, als sei es die Hochburg der Stadt. Und viele Gäste Weimars sehen es als Pflicht und Ehre an, die Altenburg aufzusuchen: der Maler Wilhelm von Kaulbach, die Dichter Berthold Auerbach und Karl Gutzkow, der alte Varnhagen von Ense mit seiner Nichte Ludmilla, der neue Intendant Franz von Dingelstedt und viele andere. Beide Flügel der Haustür sind weit aufgetan. Besucher aus aller Welt versammeln sich oben im Saal und in den Musikzimmern. Man schlendert durch den Gartensaal mit dem hölzernen Rundbogen, über die fichtenbestandene Wiese zu dem Lindenplatz am Fuß der efeubewachsenen Bergterrasse, wo der alte Seebach so oft gesessen hat, und ruht sich dort im kühlgrünen Schatten der Bäume vom Trubel aus oder führt lebhaft angeregte Gespräche.

So auch der dänische Märchendichter Hans Christian Andersen, ein alter Bewunderer Liszts, der schon vor sechs Jahren auf einer Weimarreise bei ihm eingekehrt war. Er sitzt auf dem Lindenplatz und berichtet, daß er beobachtet habe, wie bei der Enthüllung des Denkmals ein weißer Schmetterling um die Köpfe der beiden Gestalten geflogen sei. Erst habe er bei Schiller verweilt, dann sei er zu Goethe geflattert, und schließlich habe er in einem großen Kreis beide Häupter umflogen und sei gen Himmel entschwunden. Es klingt wie eines seiner Märchen.

«Alles Vergängliche ist nur ein Gleichnis», sagt er leise und lächelt befangen. Dann blickt er durch das Tor, das die Linden bilden, zu den Fichten hinüber. «Was so ein Baum alles erlebt!» fährt er fort. «Jetzt ist er so hoch, daß er in das Haus hineinsehen kann. Einmal war er so klein — es ist kaum zu glauben.» Er hält seine Hand eine halbe Elle über den Boden. «Da gab es vielleicht das Haus noch gar nicht, und die wilden Kaninchen hatten ihre Höhlen hier. Ich habe eine Erzählung geschrieben über eine Tanne. Sie stand im Walde und wurde dann ein Weihnachtsbaum. Solch ein Parkbaum — das gäbe auch eine Geschichte. Solch ein Solitär ...»

«Und dabei war er gar nicht als Solitär gedacht», antwortet Liszt. «Karl August wollte ja zusammen mit Goethe die ganze Altenburg bewalden.»

«Eben», sagt Andersen, «daß er nun ein einzelner ist, das gehört auch zur Geschichte.»

«Ja», bestätigt Liszt, «es gehört sehr zur Geschichte, daß man ein einzelner ist.»

Im offiziellen Festprogramm ist eine Fahrt der Gäste zur Wartburg vorgesehen. Und selbstverständlich hat auch die Fürstin die Gäste der Altenburg zu einer Fahrt dorthin eingeladen. Seit langem beabsichtigte Karl Alexander, diese berühmte Burgruine wiederaufbauen zu lassen. Die Aufführung des «Tannhäuser» 1849 belebte seinen Wunsch. Erst planlos, dann aber mit aller Intensität wurden der Palas, die Kapelle, der Wachtturm wiederhergestellt. Moritz von Schwind malt seit zwei Jahren den Sängersaal aus. Seine Gestalten haben Gesichter lebender Künstler, Wolfram von Eschenbach trägt unverkennbar den schönen Kopf Liszts.

Die Kartons von «Den sieben Werken der Barmherzigkeit» gehören der Altenburg. Die Fürstin hat sie gekauft und der Prinzessin Marie für ihre Kunstsammlung geschenkt. Sie liegen nun in einem Portefeuille aus violettem Maroquin im weißen Ecksalon.

Die Altenburg fühlt sich der Wartburg vielfältig verbunden. Schon lange lebt in Liszt der Plan, ein Oratorium über die heilige Elisabeth zu komponieren, über diese liebliche Heilige seiner Kirche, die ihm besonders nahesteht, weil sie aus Ungarn nach Thüringen kam wie er und allen Anfechtungen zum Trotz barmherzig zu sein versuchte wie er. Bereits im Frühling des vergangenen Jahres hat er den Dichter Otto Roquette mit der Gestaltung eines Textes beauftragt. Schwinds Fresken an den Wänden der Wartburg werden die einzelnen Szenen der Komposition ergeben: die Ankunft des Kindes aus Ungarn auf der Burg, das Wunder der Verwandlung des Brotes in Rosen, der Abschied des Gemahls zum Kreuzzug, die Vertreibung der schutzlosen

Witwe von der Burg nach seinem Tod und endlich Elisabeths Bestattung, bei der sich der mächtige Stauferkaiser Friedrich II. demütig einreihte.

Die Schwindsche Malerei erzählt die Geschichte der Heiligen innig und gläubig wie eine Legende. Musik aber, so meint Liszt, vermag Tragik, Bedeutsamkeit und Gnade dieses Lebens viel deutlicher zu machen. Er fügt in sein Oratorium alte gregorianische Kirchengesänge ein, die seit Jahrhunderten an den Tagen gesungen worden sind, die der Heiligen geweiht waren. Ein Pilgerlied aus der Kreuzzugszeit soll zu dem Eindruck historischer Echtheit verhelfen. Dann erklingen mystisch zart die Töne des Rosenwunders im Blauen Zimmer. Ein leidenschaftlich bewegtes und dann wieder leise andeutendes Seelendrama in Musik und Gesang gewinnt allmählich Leben. Aber die wirkliche Gestalt der Heiligen tritt nicht daraus hervor. Sie hat sich den virtuosen Mitteln entzogen, trotz der Inbrunst, mit der sie eingesetzt wurden.

Am 1. Oktober 1857 wird auf Vermittlung Liszts Franz von Dingelstedt Intendant des Weimarer Theaters. Er wird, anders als seinerzeit Liszt, sogleich mit allen «ordentlichen Vollmachten» für seinen Dienst ausgestattet. Er ist auch einmal ein Verfolgter gewesen. Die «Lieder eines kosmopolitischen Nachtwächters», die 1848 sagen wollten, was die Stunde geschlagen hat, haben ihren Verfasser manches erdulden lassen. Jetzt aber erhält er das Recht verbrieft, die gestickte Hofuniform zu tragen, und er ist sehr stolz darauf. Vom Oktober an steigt nun auch Franz von Dingelstedt oftmals den Berg zur Altenburg hinauf. Er hat, wie sein Lebensweg beweist, zwei Gesichter, aber zunächst zeigt er der Altenburg nur sein liebenswürdiges.

Peter Cornelius ist abgereist und wird erst im nächsten Frühjahr wiederkommen. So sehr nach seinem Bekenntnis die Atmosphäre auf der Altenburg «den Hungrigen speist wie Brot», so sehr ist das nach außen gewendete Leben dort auch ernster Arbeit an seiner Oper hinderlich. Er ist fort, als Dingelstedt ankommt. Und so sind die beiden Menschen, die für die Zukunft der Altenburg Entscheidendes bewirken sollen, vorerst nicht zusammengetroffen.

Noch gehen von dem Haus über der Stadt große geistige Wirkungen in alle Welt. Die «h-Moll-Sonate» wird in Berlin uraufgeführt, das «Es-Dur-Konzert» und der «Mazeppa» ertönen in Leipzig, der «Dreizehnte Psalm» in Jena, die «Festklänge» in Aachen, ein «Männerchor» in Wien, die «Faust-Symphonie» in Weimar, die «Dante-Symphonie» in Dresden, die «Héroide funèbre» in Breslau, das «A-Dur-Konzert» in Berlin, die «Dante-Symphonie» in Prag, der «Tasso» und die «Graner Messe» in Pest. Liszt nicht mehr nur in Weimar wie noch 1854 — Liszt wieder in Europa! Aber nicht wie früher, als umjubelter Virtuose, sondern als umstrittener, revolutionärer Komponist. Die Musikwelt befindet sich in Aufruhr, in leidenschaftlicher Ablehnung oder Zustimmung gegen oder für die Werke, deren langsam wachsende Partituren unter dem Midasblock im Blauen Zimmer gelegen haben.

Anfang April 1858 erscheint Peter Cornelius wieder auf der Altenburg und überreicht Liszt seine fertige Oper, den «Barbier von Bagdad». Sie trägt auf dem ersten Blatt in schwungvoller Schrift die Widmung: «Franz Liszt, seinem Meister, Freunde und Gönner, widmet diese Blätter als ein geringes Zeichen seiner Bewunderung, seiner Liebe und Dankbarkeit am 2. April 1858 Peter Cornelius, Weimar.»

Diese Oper ist unter dem Dach der Altenburg gewachsen. Strahlend überreicht Cornelius sein Werk. Strahlend nimmt es Liszt in Empfang. Es ist ein Augenblick reinsten Glücks. Und niemand ahnt, welch schweres Verhängnis damit über die Altenburg hereinbrechen soll.

Doch erst kommt der Sommer und mit ihm nun jener Mann, der im November 1841 frierend in armseliger Kammer in Hamburg saß, sein abgewiesenes Drama «Genoveva» in Händen, während Liszt an der Kornelkirschenhecke der Altenburg den alten tauben Seebach nach dem Tiefurter Weg fragte und Richard Wagner in Paris hungerte.

Am 22. Juni 1858 um elf Uhr vormittags steigt Friedrich Hebbel selbstbewußt die Steinstufen zur Haustür empor. Am Johannistag, dem Geburtstag des Großherzogs Karl Alexander, will Dingelstedt die Tragödie «Genoveva» aufführen, und er hat den Dichter aus Wien dazu eingeladen. So kommt Hebbel zum zweitenmal nach Weimar. Aber diesmal führt ihn sein Weg nicht an der Altenburg vorbei.

Wie Liszt, wie Wagner, so hat auch Hebbel seine Werke einer widerspenstigen Welt aufgezwungen. Er hat Neues zu sagen, auch er ist ein Ankläger. «Maria Magdalena», «Judith», «Agnes Bernauer», «Genoveva» sind bereits entstanden — Dramen, in denen die althergebrachten sozialen Beziehungen Konflikte heraufbeschwören, an denen die Menschen zerbrechen. Und die Altenburg öffnet weit ihre Tore, um den großen Dramatiker zu empfangen.

Hebbel hat ausführlich über die Weimarer Tage an seine Gattin, die berühmte Schauspielerin Christine Enghaus, nach Wien berichtet. «Die Fürstin», schreibt er, «ist eine ältliche Frau voll Feuer und Lebhaftigkeit, ihre Tochter, die Prinzessin, ein außerordentlich feines Mädchen mit vornehmen Zügen und Augen, wie sie hie und da auf den Bildern des Pietro Perugino vorkommen. Die Konversation war anfangs französisch, was für einen Schleswig-Holsteiner, der die neueren Sprachen in seiner Jugend nicht gelernt hat, immer fatal bleibt, doch schwenkte ich sie nach Tisch bald ins Deutsche herum, und nun ergab sich ein so animiertes Gespräch, wie ich in Wien selten eins geführt habe. Du weißt, wie entschieden ich jeder Unterhaltung über meine eigenen Arbeiten aus dem Wege gehe. Hier mußte ich mich jedoch ergeben, weil ich auf so eine gediegene, allgemeine Bildung und eine so gründliche, bis ins allereinzelnste gehende Kenntnis meiner eigenen Sachen traf, daß das Gegenteil absurd gewesen wäre.»

Am 25. Juni abends ist Hebbel wiederum eingeladen. Er berichtet nach Wien: «Abends auf der Altenburg große Gesellschaft, wo Liszt spielte, was er nur sehr selten tun soll — Zigeunerrhapsodien, durch die er mich allerdings auch elektrisierte. Am Klavier ist er ein Heros; hinter ihm in polnisch-russischer Nationaltracht mit Halbdiadem und goldenen Troddeln die Prinzessin, die ihm die Blätter umschlug und ihm dabei zuweilen durch die langen, in der Hitze des Spiels wild flatternden Haare fuhr. Traumhaft — phantastisch!»

Auch im Gedicht hat Hebbel das große Erlebnis dieses Abends eingefangen:

Ein goldnes Netz im vollen dunkeln Haar,
Dazu die Troddel fremd und wunderbar,
Mit Augen, die mich einst zu reinstem Glück
Begrüßt auf Peruginos schönstem Stück,
Als ich in Rom vor seiner Tafel stand
Und Mond- und Sonnenstrahl zugleich empfand —
So schlägst Du hier dem Meister still und stumm
Am Instrument die heil'gen Blätter um,
Der, Herr und Sklav des Tones, längst die Welt,
Und nun auch mich, in seinen Banden hält.
Zwar horchst Du selbst, doch rührst Du dann und wann
Wie weihend ihm die wilden Locken an:
Da ist's, als ob er zwiefach Funken sprüht,
Und zwiefach zünden sie mir im Gemüt!

Auch die Fürstin ist angesichts dieses Besuchers in ihrem Element. Aber über wie vieles man auch miteinander spricht, ein Thema bleibt unberührt. Auch Hebbels Berichte nach Hause verschweigen, daß der Dichter, der am 25. Juni Gast ist in dem Saal der Altenburg, in seiner Brusttasche das Manuskript jenes Stückes trägt, das hier wie nirgendwo sonst auf der Welt begeistertes Echo gefunden hätte – das Manuskript seiner «Nibelungen». Sie sind bereits zur Hälfte fertig.

«Wie beklag ich's», so schreibt Hebbel nach dem Abschied an die Fürstin, «daß ich meine ‹Nibelungen›, in deren letztem Akt ich geleistet zu haben glaube, was mir bis dahin noch nicht gelang, blöde verleugnete, wie Petrus den Herrn!»

Und wahrlich, es wäre eine besondere Fügung gewesen, wenn auch die Worte dieses Dramas zum erstenmal in dem Hause ertönt wären, in dem bereits Wagners Nibelungendichtung erklungen war und in dem bereits anläßlich der Einweihung 1811 über dieses Dokument deutscher Geschichte gesprochen wurde, aus dem Goethe vorgelesen hatte.

Am 24. August macht Hebbel sein Versäumnis gut und übersendet der Prinzessin Marie das Manuskript von «Siegfrieds Tod».

«Ich will eben darstellen», schreibt er erklärend dazu, «wie sich die urgermanischen und die christlichen Elemente nach und nach durchdringen und eine neue Welt schaffen. Aber das wird erst im zweiten Teil klarer hervortreten.» Die Hemmung, die den Zwiespältigen gegenüber dem zwar teilnahmsvollen, aber beredten Kreis im Saal zum Schweigen veranlaßt hatte, kennt er gegenüber der Prinzessin nicht. Und so ruht im weißen Ecksalon eine Zeitlang die Handschrift dieses Werks, das so monumental enden wird mit den Worten «Im Namen dessen, der am Kreuz verblich».

Noch eine andere Tatsache aber haben Hebbels Berichte an seine Frau in Wien verschwiegen. In diesen Tagen hat der reife Mann mit der hohen Gestalt und der gewölbten Stirn über den hellen Augen eine tiefe Herzensneigung zu dem schwarzlockigen Mädchen auf der Altenburg gefaßt, und sie wird erwidert.

Monat um Monat gehen die Briefe hin und her zwischen Wien und Weimar, die zart und geistvoll die lebendige Beziehung der Seelen pflegen. Ein schillernder Libellenflügel wird aus dem weißen Ecksalon, der Magnolettes Reich ist, nach Wien gesendet. Im Begleitbrief schildert sie, wie ihr Blick sehnend hinschweift über die Kronen des Wäldchens, das sich jenseits der Chaussee zur Ilm hinabzieht. Hebbel kennt das Wäldchen, er kennt den Blick aus dem weißen Salon.

«Der Mensch kann dem Menschen mit sich selbst eine Freude machen», so verzeichnet sein Tagebuch bewegt. Und etwas später: «Ich bin nur auf einen einzigen Menschen neidisch. — Und wer ist das? — Ich kenne ihn nicht. Der, der sie dereinst heimführt.»

Prinzessin Marie ist jetzt einundzwanzig Jahre alt. Alle Besucher der Altenburg umschwärmen sie, die jungen Musiker wie der alte Fallersleben, der so entzückende Waldblumensträuße im Webicht zu pflücken versteht wie sonst niemand. Gedicht um Gedicht wird ihr gewidmet. Rietschel modelliert sie. Ary Scheffer, der einst das Bild der Heiligen Drei Könige gemalt hat, nimmt sich nun ihr Antlitz zum Vorbild und schreibt: «Sie gesehen zu haben, bevor ich die Augen schließe, ist ein Glück, für das ich der Vorsehung danke. Ich habe mich also nicht getäuscht, als ich glaubte, daß es eine Schönheit gäbe, die vollkommener ist als nur Schönheit. Sie besteht im Ausdruck der Seele und ihrer Reinheit.»

Der Tag, an dem Liszt das Haus der Fürstin in Woronince zum erstenmal betreten hat, war der 18. Februar 1847, Maries zehnter Geburtstag. Sie nahm die Blumen von ihrem Geschenktisch und warf sie ihm in übermütiger Huldigung entgegen. Im darauffolgenden Herbst hat sie mit ihrer hellen Stimme in der Kapelle von Woronince die Gebete der beiden Liebenden begleitet. Zehn Jahre lang hat sie mit zu seinem Leben gehört und ihm die eigenen Kinder ersetzt. Nun, da sie herangewachsen ist, erhellt sie mit ihrer Jugend und ihrer Schönheit die Altenburg. Sie ist für ihn mehr als nur ein geliebtes Kind. «Sie ist für mich ein Zeichen geworden», so bekennt er der Fürstin, «in dem sich Gottes Güte für uns offenbart.»

Inzwischen beginnt die neue Spielzeit des Theaters, und immer deutlicher enthüllt sich der Freund Franz von Dingelstedt unter glatter Maske als Widersacher. Er ist voller Ehrgeiz: Er will das Schauspiel in Weimar groß machen und widersteht voll Eifersucht und Neid der Absicht Liszts, vor allem die Musik herrschen zu lassen.

Zunächst stößt Liszts Plan, Wagners «Rienzi» zur Aufführung zu bringen, auf seinen hartnäckigen Widerstand. Dann soll der «Barbier von Bagdad» zum erstenmal in Szene gehen. Der Intendant kann sich diesem Plan nicht abermals widersetzen, aber er vermag ihm tausend Hindernisse in den Weg zu legen. So entspinnen sich ermüdende Streitigkeiten um die Besetzung der Hauptrolle. Für die Ausstattung des Stücks wird kein Pfennig bewilligt. Als der Regisseur für die erbärmliche Dekoration eine alte Haferkiste überstreichen und mit Griffen versehen läßt, bürdet Dingelstedt ihm persönlich die Kosten dafür auf und eine Strafe wegen Widersetzlichkeit.

Aber alles wird der Oper nichts anhaben können: Liszt wird sie selber dirigieren! Keiner wird die Musikalität, den Einfallsreichtum, den Witz, die Anmut des Werks so zum Ausdruck bringen wie er!

Dingelstedt aber hat den festen Plan, dieses Stück, das so eng mit Liszt verbunden ist, zu Fall zu bringen. Er macht in der Stadt ununterbrochen und mit allen Mitteln Propaganda gegen die «Zukunftsmusik», zu der auch diese Oper gehöre. Und als am 15. Dezember der «Barbier von Bagdad» über die Bühne geht, entwickelt sich einer der größten Theaterskandale, die Weimar je erlebt hat. Nicht um die reizvolle Oper, die da zum erstenmal erklingt, geht es, sondern um die Machtprobe zweier Männer. Eine von Dingelstedt angeworbene Clique zischt und pfeift und trampelt gegen den beliebten, einflußreichen, bezaubernden, virtuosen Dirigenten Liszt, gegen die Altenburg. Und sie setzt sich durch.

Liszt legt den Taktstock nieder, wendet sich zum Zuschauerraum und applaudiert selber. Schließlich aber steht er mit verschränkten Armen minutenlang da und schaut schweigend in das brodelnde Chaos vor sich.

«Ich kann das Gesicht nicht vergessen, das er an jenem Abend gezeigt und das mich mit Schaudern erfüllte», hat ein Zuschauer bezeugt.

Nach der Vorstellung kehren die Bewohner der Altenburg heim. Sie verstehen die Bedeutung dieses Abends, keiner ist mehr zum Sprechen aufgelegt, und so zieht sich jeder sogleich zurück.

Das stille Haus aber sendet in dieser Nacht aus drei verschiedenen Räumen noch lange Licht hinaus. In seinem Zimmer im Nebengebäude sitzt Cornelius und schreibt an seinen Bruder: «Mein Geschick will mich zu einem Manne machen — das seh ich an allem, und ich werde alles tun, es nicht an mir fehlen zu lassen. Es ist alles gut, wie es gekommen ist, mein Lieber! Ich bin jetzt ein Künstler in den Augen der musikalischen Welt, von dem man etwas erwartet. Es gibt dem Anfang meiner Laufbahn eine wunderliche Bedeutsamkeit, daß meine geringe Wenigkeit der Anstoß des entschiedenen Bruches zwischen Liszt und Dingelstedt wird. Liszt will — die Kunst. Dingelstedt — nur sich. Das ist der Kampf.» Er legt die Feder nieder und lehnt sich zurück.

Nach einer Weile verlöscht im Nebenhaus der Altenburg das Licht.

Nun ist es noch hell im Schlafzimmer der Fürstin. Sie kniet auf dem Betschemel, den Rosenkranz in den Händen. Sie weiß, daß dieser Abend das Ende ist für den «Kapellmeister» Liszt, vielleicht das Ende für die Altenburg. Die Altenburg — was bedeutet dieses Haus für Liszt und sie! Was ist alles geschehen in diesem Haus! Ist wirklich alles mißglückt? Ihr persönliches Schicksal ebenso wie die Leistung des geliebten Freundes? Sie neigt die Stirn müde und ratlos auf den harten Rand des Betpults. Geraume Zeit später verlöschen auch hier die Kerzen.

Nun leuchtet noch Licht im Blauen Zimmer. Der Schein fällt über die Fichte auf den Rasen hinaus und zeichnet darauf das breite Rechteck der drei Fenster ab. Ein Schatten geht hin und her in dem hellen Fleck auf dem Rasen. Hin und her. So ist nun das Ende, denkt Liszt. Ich werde den Taktstock nicht wieder führen in diesem Weimar. Wozu ankämpfen gegen solche Mißgunst und Niedertracht? Lohnt das denn noch?

Dann bewegt sich kein Schatten mehr in dem hellen Rasenrechteck. Liszt schreibt einen Brief an Karl Alexander. Er legt darin klar, was er von Peter Cornelius und seiner Oper hält, und fährt fort: «Alles dies dient mir nur zur Entschuldigung, daß ich Sie bitte, Durchlaucht, Herrn Cornelius die Ehre zu geben, ihn zu empfangen, was ihm eine rechte Ermutigung für all seine ernsthaften Bemühungen sein wird.» In seinem eigenen Fiasko, in seiner eigenen Enttäuschung denkt er noch an den anderen! Er siegelt den Brief langsam und sorgfältig. Dann verschwindet auch der helle Fleck auf dem Rasen im Garten der Altenburg. Und alles ist dunkel.

Am 19. Januar des neuen Jahres bringt ein Bote des Theaters folgendes Schreiben den Berg hinauf:

«Unter Bezugnahme auf die Weimarische Korrespondenz in Nr. 16 der ‹Allgemeinen Zeitung› ersuche ich Dich, verehrter Freund, mir mitzuteilen:

1. Ob Du etwas von den darin erwähnten Differenzen des Hofkapellmeisters Liszt mit dem Generalintendanten Dingelstedt weißt?

2. Wenn solches der Fall, worin diese Differenzen bestehen?

und

3. Ob und wiefern mit denselben Dein Rücktritt von der Direktion unserer Oper zusammenhängt.

Mit bestem Gruß, Dein ergebener Fr. Dingelstedt
Weimar, 19. Januar 1859»

Liszt legt den Brief schweigend beiseite.

Zwei Tage später kommt der Bote mit einem anderen Brief:

«So gern ich Dein Schweigen, wertester Freund, ehren und teilen möchte, kann ich dies doch nicht, da ich meine amtliche und meine öffentliche Stellung zu wahren habe. Ich wiederhole also meine drei Fragen vom vorgestrigen Tage.

Mit bestem Gruß, Dein ergebener Fr. Dingelstedt»

Liszt legt auch diesen Brief einfach beiseite.

Erst auf mehrere Anforderungen und Bitten Karl Alexanders hin tritt Liszt aus seinem Schweigen heraus und antwortet nun dem Großherzog: «Es ist mir nicht unbekannt, daß nicht nur der Künstler, daß auch die Kunst selbst als ein unnützer Luxus gelten kann, daß ich in gewissem Sinne den Weimaranern als überflüssig erscheine, daß ich von allen Seiten nur Mißtrauen begegne, daß man mich gern in einer alltäglichen spießbürgerlichen Existenz untergehen sähe. Die feindlichen Elemente können mich grausam verwunden, nicht aber erniedrigen, und je mehr sie mich bedrohen, um so mehr nur schulde ich mir und einer andern, die mir teurer ist als das Leben, jede Genugtuung dieser Welt. Ich liebe die Einsamkeit, aber eine vollkommene, und Eure Königliche Hoheit wollen geneigtest mich meines Dienstes entheben.»

Das ist das bittere und zugleich tapfere Fazit über elf Jahre Altenburg.

Am ersten Tag des neuen Jahres gesteht Liszt dem Freunde Wagner: «Wahrlich, meine Franziskaner Konfraterschaft ist mir manchmal sehr nötig, um so viel Unausstehliches zu ertragen.»

Wenige Tage später hält er die Antwort des Freundes in Händen: «Hast denn Du auch mich nicht verstanden? Habe ich Dir denn nicht deutlich und bestimmt gesagt, daß ich um jeden Preis nur Geld zusammenzutreiben versuche? Muß ich solche offenbare Verspottung von Dir erleben? — Kein Wort? Kein Geld? Ich sehe, Du kennst die Not gar nicht, Glücklicher! Schick ‹Dante› und ‹Messe›! — Aber zunächst Geld — Honorar — für Gott weiß was!»

Und so schreibt Liszt, zum erstenmal von solchem Egoismus wirklich verwundet, am 4. Januar zurück: «Da die ‹Dante-Symphonie› und ‹Messe› nicht als Bankaktien gelten können, wird es überflüssig, sie zu senden.»

Betroffen lenkt Wagner ein. Und versöhnt·erwidert Liszt darauf: «Dein Gruß bringt mir wieder das zaubervolle Vergessen von allem dem, was uns immer fernbleiben soll.»

Aber am 23. Februar reißt der egozentrische Wagner mit seinem Unverständnis abermals neue Wunden auf: «Bedenke ich, was Du Glücklicher alles hast, welche Kronen des Lebens und der Ewigkeit sich auf Dich herabsenken, übersehe ich Dein trauliches, stets Dir edel schmeichelndes Haus, doch eigentlich frei von ernster, gemeiner Lebenssorge, gewahre ich, wie Du durch Deine Person, durch Deine ewig Dir bereite Kunst alles um Dich beglückst und entzückst, so wird mir's schwer, zu erkennen, wo Du eigentlich leidest.»

Da schweigt Liszt längere Zeit. Zu Ostern kreuzen sich zwischen der Schweiz und der Altenburg dennoch wieder zwei Sendungen.

«Sag, liebster Franz», so heißt es aus Zürich, «wie würde Dir an meiner Stelle zumute sein? Wiederholt bat ich Dich um die Zusendung Deiner neu erscheinenden Werke. Jetzt lese ich die Verlagsanzeige des erschienenen – ‹Dante› – – ?? – Wie würde Dir zumute sein, wenn Dir das begegnete?!»

Inzwischen aber ist die Partitur der endlich vollendeten «Dante-Symphonie» bereits auf dem Wege in die Schweiz mit folgender Widmung Liszts darin: «Wie Virgil den Dante hast Du mich durch die geheimnisvollen Regionen der lebensgetränkten Tonwelten geleitet. Aus innigstem Herzen ruft Dir zu: ‹Tu se' lo mio maestro, e'l mio autore!› und weiht Dir dieses Werk in unwandelbarer getreuer Liebe Dein Freund Liszt. Weimar – Ostern – 59.»

Aber Wagner vernimmt nur den Überschwang dieser Worte und nicht in ihnen Liszts Wunsch, sich nach allem Vorgefallenen innig zu Wagner zu bekennen, und er antwortet schroff und gequält: «Deine in das Exemplar geschriebenen Widmungsworte wollen wir doch hübsch unter uns behalten. Wie jämmerlich ich mich als Musiker fühle, kann ich Dir gar nicht stark genug versichern. Und nun kommst Du, dem es aus allen Poren herausquillt wie Ströme und Quellen und Wasserfälle – und da soll ich mir nun noch so etwas sagen lassen wie Deine Worte! Nicht zu glauben, daß dies völlig Ironie sei, fällt mir da sehr schwer, und ich muß Deine Freundschaft zu mir voll und ganz mir zurückrufen, um zu glauben, Du habest Dich am Ende doch nicht über mich lustig machen wollen!»

Wieder bringt Liszt die Seelengröße auf, verständnisvoll

und versöhnend zu antworten: «Welch schauerlicher Sturm — Dein Brief, liebster Richard! — Wie verzweifelt er alles herumpeitscht und niederschlägt! Was ist bei dem Getöse und Geheul noch zu hören? — Woher und wozu noch Worte, immer nur Worte! Wo gäbe es Glück in dem beschränkten monotonen Sinne, der so albern diesem Worte beigelegt wird? Nur Entbehren und Entsagen hält uns aufrecht auf diesem Erdboden. Laß uns also unser Kreuz zusammen tragen in Christo.»

Liszts Herz ist voll Gram. Er flüchtet sich ganz in die Religion und die große künstlerische Aufgabe seiner sakralen Musik. Niemandem gegenüber öffnet sich sein Mund zu einer Klage; für alle und alles hat er wie immer Entschuldigung und Trost bereit. Nur in seinen Kompositionen äußern sich Schmerz und Verzweiflung der eigenen Seele. Er vertont den 137. Psalm «An den Wassern zu Babel saßen wir und weinten, wenn wir an Zion gedachten» und Psalm 23 «Der Herr ist mein Hirte, mir wird nichts mangeln». Er komponiert die Todesszene der «Heiligen Elisabeth» und versucht sich an dem Oratorium «Christus», indem er mit der Bergpredigt «Selig sind, die da Leid tragen» beginnt.

Mit der gleichen Virtuosität, mit dem gleichen überschäumenden Temperament, mit denen er früher weltliche Themen erklingen ließ, greift er nun nach den gewaltigsten Worten des Alten und des Neuen Testaments. Nach all diesen Leiderfahrungen findet er völlig neue Tonwege — mystisch leise, einfache, grenzüberschreitende, und erst hundert Jahre später wird man das Neue, Kühne, Originale begreifen, das sich da kundtut.

Im Juni dieses Jahres klopft eine Versuchung an die Tür: Okrazewski, der Pächter des Nachbarguts von Woronince, ein alter Untergebener der Fürstin, kommt und erbietet sich, da der Metropolit Hotoniewski inzwischen gestorben sei, von dem jetzigen Bischof in Petersburg für siebzigtausend Rubel die Einwilligung zur Scheidung zu erwirken. Und Liszt und die Fürstin, sie nehmen dieses Angebot an! Sie scheuen sich nicht, einen förmlichen Vertrag aufzusetzen, den sie beide und Okrazewski unterzeichnen und den auch die Prinzessin als Besitzerin des Vermögens unterschreiben muß. In tiefster Verzweiflung versuchen sie nun auf illegalem Weg, das Ziel zu erreichen, das ihnen legal immer wieder verwehrt wird.

Hat Weimar sie kleingekriegt, die da oben auf der Altenburg, so daß ihnen jetzt jedes Mittel recht ist? Oder aber sind sie so über alle Meinung der Welt hinausgewachsen, daß sie äußerlich tun, was die Welt verlangt, und dennoch innerlich ganz frei bleiben?

Doch damit nicht genug! Am 2. August wird noch ein anderer Kontrakt abgeschlossen: Prinzeß Marie verlobt sich mit Konstantin von Hohenlohe-Schillingsfürst. Man hält es für nötig, durch die Heirat der Tochter den Ruf und die gesellschaftliche Stellung der Mutter zu bessern.

Einen Tag später schreibt der ahnungslose Hebbel einen Brief an die junge Freundin: «Ich stehe keineswegs gut dafür, daß ich nicht doch noch im Laufe dieses Sommers bei der Altenburg anpoche. Ob Sie öffnen lassen wollen, ist dann noch immer in Ihren Willen gestellt.»

Und am 5. September ist Hebbel wirklich wieder in Weimar. Prinzeß Marie läßt öffnen — um so eher, da sie nun dem Freund allerlei zu sagen hat.

Hebbel hat von diesem Besuch erzählt: «Am Samstag abend um fünf Uhr traf ich ein und ging sogleich auf die Altenburg. Ein scheuerndes Mädchen sagte mir, daß Liszt spazierengegangen und daß die Fürstin nach Berlin verreist sei; sehr unmutig entfernte ich mich wieder, ohne nach der Prinzeß auch nur zu fragen, da ich voraussetzte, daß sie die

Mutter begleite. Ich ging die Jenaer Straße hinauf und kehrte erst bei Anbruch der Nacht in meinen Gasthof zurück. Die Kellner meldeten mir dort», so berichtet Hebbel weiter, «die Prinzessin Wittgenstein habe schon vor einer Stunde geschickt und lasse mich bitten, heraufzukommen. Ich fand sie mit ihrer Gesellschafterin allein bei der Lampe, das blasse Gesicht nicht wie im vorigen Jahre von einer Wolke dunkler Locken umgeben, sondern das Haar zurückgestrichen. Ich merkte bald, daß sie etwas auf dem Herzen hatte. So war es auch. Als die Miß Anderson sich entfernte, teilte sie mir mit einer rührenden Verlegenheit mit, daß sie den größten Entschluß ihres Lebens gefaßt und ihre Hand vergeben habe. Es sprach keine glückliche Braut, die alles zu erlangen hofft, sondern ein gebrochenes, opferbereites Wesen, das viel zu verlieren fürchtet. Sie hat mir gestern, Sonntag, wo ich oben saß, in einem stundenlangen Gespräch unter vier Augen mit unbegrenztem Vertrauen und nicht ohne bittere Tränen die nackte Situation auseinandergesetzt. ‹Bleiben Sie mir gut›, sagte sie beim Abschied.»

Am 15. Oktober wird in der katholischen Kapelle in der Marienstraße in allerkleinstem Kreis die Ehe geschlossen. Unter den wenigen anwesenden Freunden sind Hoffmann von Fallersleben und Eduard Lassen, der Däne, den Liszt nach Weimar gezogen hat. Es wird Musik von Liszt gespielt. Lassen berichtet, daß die Fürstin und die Prinzessin in Tränen aufgelöst gewesen seien. Gleich danach fährt das Brautpaar nach München, die Fürstin nach Paris.

Acht Wochen später, am 13. Dezember, stirbt in Berlin bei Cosima und Hans von Bülow Liszts Sohn, der nun zwanzigjährige Daniel. Und so wird auch der «lichte Knabe Daniel» nicht wieder mit seinem «lächelnden Gang» durch die Räume der Altenburg gehen.

Am Sonntag, dem 18. Dezember, kommt Liszt von der

Beerdigung zurück. Die Fürstin ist ihm trotz eisiger Kälte bis Halle entgegengefahren, «damit wir zusammen in unser Blaues Zimmer zurückkehren». Ein furchtbarer Schneesturm fegt um das Haus, preßt sich mit Wucht gegen die Scheiben und treibt die Flocken umher. Die Baumwipfel schwanken. Die beiden Menschen im Blauen Zimmer erschauern. Sie sind nicht mehr der Meinung wie vor elf Jahren, als sie den Raum einweihten, daß sie aus Liebe und eigener Kraft allem widerstehen können.

Am 17. Mai 1860 verläßt die Fürstin Carolyne von Sayn-Wittgenstein die Altenburg. Okrazewski ist wirklich mit der Scheidungsgenehmigung des Metropoliten von Petersburg zurückgekommen, und um die noch notwendige Bestätigung des Papstes schneller zu erlangen, reist die Fürstin selber nach Rom.

Zum letztenmal schläft sie in dem Zimmer, in dem die Gespenster der Angst und der Reue nach ihr griffen, zum letztenmal geht sie durch den Saal mit den dreifach gruppierten Fenstern, vor denen sich die Kastanienkronen breiten, zum letztenmal steht sie im Ecksalon vor dem Bild der Heiligen Drei Könige. Sie lehnt noch einmal im Blauen Zimmer am Fenster und sieht zu den Fichten hin. Dann kniet sie neben Liszt zum letztenmal auf dem Betschemel in der heimlichen Kapelle.

Der Wagen fährt vor. Er rollt durch die Kornelkirschenhecke auf die Chausssee hinaus. Das heisere Kläffen Blacks tönt ihm nach.

Die zierliche, fremdartige Zigeunergestalt mit den auffallenden grellfarbigen Kleidern, dem feurigen, ruhelosen Temperament und dem leidenschaftlichen Herzen verläßt die Altenburg und wird sie nie wieder betreten. Immer wieder aber wird in Rom, wo sie das letzte Vierteljahrhundert ihres Lebens verbringt, das Bild der Altenburg vor ihr auftauchen. Hinter einer Via Appia, einem Petersplatz, einem Kolosseum wird jenes einfache gelbe Haus mit dem flachen Schieferdach erscheinen, das einsam zwischen Fichten auf dem Berg über Weimar steht und das von dem Versuch spricht, Altes durch fruchtbares Neues zu ersetzen — ein Wagnis, das ihr soviel Glück und soviel Leid gebracht hat und doch gescheitert zu sein scheint.

Liszt bleibt allein zurück. Sein Schicksalsweg auf der Altenburg ist noch nicht beendet.

Es will dieses Jahr gar kein Sommer werden; es bleibt stürmisch, naß und kalt, Liszt läßt den ganzen Juni und Juli hindurch heizen. Wenn er abends aus der Stadt zurückkommt, drängt sich ihm immer wieder Lenaus Lied von den drei Zigeunern in den Sinn:

> Dreifach haben sie mir gezeigt,
> Wenn das Leben uns nachtet,
> Wie man's verschläft, verraucht, vergeigt
> Und es dreimal verachtet.

Fast wie von selbst kommt ihm die Melodie dazu. Wenn er aus dem stillen Wäldchen heraustritt, um über die Chaussee zu gehen, dann liegt das große rechteckige Haus finster vor ihm «wie ein Sarkophag».

Die Vormittage im Blauen Zimmer sind nun zwar ohne Ablenkung und Beeinflussung, aber auch ohne Austausch und Gespräch. Nach wie vor gehören sie unermüdlicher Arbeit. Immer mehr bemächtigt sich seine Kunst der höchsten Themen. Er sucht den Tod zu begreifen und komponiert den Totensang «Les Morts» für seinen Sohn Daniel. Er bemüht sich um das Gloria Dei, um den Ruhm Gottes, in dem Psalm «Die Himmel rühmen des Ewigen Ehre» und komponiert angesichts des Mönchsbildes auf seinem Schreibtisch, das ihm die Fürstin wie ein Vermächtnis zurückgelassen hat, einen Männerchor «An den heiligen Franziskus auf den Wogen». Nun gelingt es, die «Heilige Elisabeth» zu vollenden und dem Oratorium «Christus» das «Vater unser» hinzuzufügen. Er findet, allein gelassen auf der Altenburg, eine Tonsprache von einer Wärme, Schlichtheit, Innigkeit, die neu und einmalig ist.

In dieser Zeit entschließt sich der einsame Mann im Blauen Zimmer, sein Testament zu machen und damit ein Bekenntnis abzulegen:

«Dies ist mein Testament. Den 14. September, dem Tage, da die Kirche die Erhöhung des heiligen Kreuzes feiert. Der Name dieses Festes verkündet auch das glühende und geheimnisvolle Gefühl, welches mein ganzes Leben wie mit einem heiligen Wundmal durchdrungen hat.

Was ich seit zwölf Jahren Gutes getan und gedacht, verdanke ich ihr, der ich so sehnlich gern den süßen Namen Gattin gegeben hätte — doch haben es menschliche Bosheit und traurigste Machenschaften bisher hartnäckig verhindert —, Jeanne-Elisabeth-Carolyne, Fürstin Wittgenstein geborene von Iwanowska. Ich kann ihren Namen nur mit unsäglicher Bewegung schreiben. Sie ist mit meinem Dasein, meiner Arbeit, meinen Sorgen und meiner Laufbahn untrennbar vereint und restlos verschmolzen. In Gedanken knie ich vor ihr nieder, um sie zu segnen und ihr Dank zu sagen, wie meinem Schutzengel und meiner Fürsprecherin bei Gott. Herr erbarme Dich meiner und sieh in Gnaden auf mich herab. Deine Güte und Dein Segen sei mit ihr in Zeit und Ewigkeit.

Es gibt in der zeitgenössischen Kunst einen Namen, der schon jetzt ruhmreich ist und es mehr und mehr werden wird — Richard Wagner. Sein Genius ist mir eine Leuchte gewesen, ihr bin ich gefolgt.

Zu einer bestimmten Zeit — es sind etwa zehn Jahre her —

hatte ich für Weimar eine neue Kunstperiode erträumt, ähnlich der von Karl August, wo Wagner und ich die Führer gewesen wären wie einst Goethe und Schiller. Die Engherzigkeit, um nicht zu sagen der schmutzige Geist gewisser örtlicher Verhältnisse, alle Arten von Mißgunst und Dummheit von draußen wie drinnen haben die Verwirklichung dieses Traumes zunichte gemacht. Trotzdem hege ich noch dieselben Gefühle und bleibe derselben Überzeugung, daß es nur allzu leicht gewesen wäre, es allen greifbar zu machen, und ich bitte Carolyne, nach meinem Tode unsere herzlichen Beziehungen zu Wagner aufrechtzuerhalten.

Einige mir gehörende Gegenstände, die sich auf der Altenburg befinden, bitte ich Carolyne, zu meinem Andenken aufzuheben, solange sie lebt — insbesondere die folgenden:

Ein massiver Goldbarren, worauf die lehrreiche Geschichte des Königs Midas eingraviert ist. Die Mappe aus rotem Samt mit einem Goethe-Autograph — welches ich vom Großherzog erhielt. Die Originalmaske, die man Beethoven auf dem Totenbett abnahm, und der Broadwood-Flügel, der Beethoven gehörte. Die eigenhändigen Partituren Wagners zu ‹Lohengrin› und zum ‹Fliegenden Holländer› samt der autographierten Partitur des ‹Tannhäuser›.

Ich bitte Carolyne, Cosima die Zeichnung von Steinle zu schicken, die meinen Schutzpatron darstellt, wie er auf den bewegten Wogen des Meeres steht, seinen Mantel unter die Füße gebreitet — ruhig hält er in der einen Hand eine glühende Kohle, während er die andere erhoben hat, um den Sturm zu beschwören oder um die Schiffer in ihrer Herzensangst zu segnen. Diese Zeichnung, die mir Carolyne zum Geschenk machte, hat immer auf meinem Schreibtisch gestanden.

Von einigen anderen Gegenständen, die mir noch gehören, bitte ich Carolyne, sie mehreren Mitgliedern unserer Brüderschaft der ‹Neudeutschen Schule›, denen ich herzlich zugetan verbleibe, zu schenken, meinem sehr geliebten und tapferen Schwiegersohn Hans von Bülow, Hans von Bronsart, Peter Cornelius, Eduard Lassen und anderen. Mögen sie das Werk fortsetzen, das wir begonnen haben. Die Ehre der Kunst und der sittliche Wert der Künstler hängen davon ab. Unsere Sache kann nicht untergehen, sollte sie auch nur wenige Verteidiger finden.

Und nun knie ich noch einmal mit Carolyne nieder, um zu beten — wie wir es oft gemeinsam getan —, daß das Reich unseres Vaters im Himmel komme, daß sein Wille geschehe, wie im Himmel also auch auf Erden. Und vergib uns unsere Schuld, wie auch wir vergeben unsern Schuldigern, und erlöse uns vom Übel. Amen. F. Liszt.

Möge das ewige Licht meiner Seele leuchten!

Mein letzter Seufzer wird ein Segenswunsch für Carolyne sein. F. Liszt.»

Über dem Haus, in dem all dieses geschah, stand, als es eingeweiht wurde, ein Komet. Jahre später sprach Goethe, an diesem Haus vorbeifahrend, die tröstlichen Worte: «Untergehend sogar ist's immer dieselbige Sonne.»

Nun, nachdem die Stadt Weimar äußerlich über die Altenburg gesiegt hat, versucht sie, die Dinge ungeschehen zu machen. Sie überreicht ihrem scheidenden Kapellmeister Doktor Liszt den Ehrenbürgerbrief, und zwar am 22. Oktober, seinem neunundvierzigsten Geburtstag. Ein Fakkelzug zum Wohnsitz des Gefeierten wird veranstaltet. Dingelstedt geht an der Spitze, lächelnd und elegant.

Abends um acht Uhr bewegt sich der Zug von mehreren hundert Fackelträgern mit Musik über die Kegelbrücke, wendet sich nach links die Chaussee hinauf, macht die weite Kurve um das Wäldchen herum auf das Haus zu, zieht durch die Hecke ein, an dem Portal mit den fünf Steinstufen vorbei wieder auf die Straße hinaus, um sich über die ehemalige

Landstraße, die jetzt nur noch ein Gartenweg ist, wieder zu entfernen.

Die Altenburg ist illuminiert, an sämtlichen Fenstern der vorderen Front flackern kleine Talglichte. Liszt steht in dem weißen Ecksalon — Magnolettes ehemaligem Zimmer — am offenen Fenster und schaut hinab auf die rötlichleuchtende Schlange, die sich den Berg hinaufwindet. Die Fackeln lodern durch die dunkle Nacht, Rauch weht in die kalte Luft, und hier und da fliegen Funken und Flammenfetzen hoch über den Köpfen. Liszt betrachtet das Bild, das sich zu seinen Füßen entfaltet, und grüßt dann und wann hinab. Ganz Weimar ist auf den Beinen.

Viele Schaulustige säumen die Straße. Mit geheimer Sensationslust sehen sie auf das gefeierte Haus, als müßte sich irgend etwas Besonderes ereignen. Keiner von ihnen denkt daran, daß es vor einem halben Jahrhundert eingeweiht wurde, am Tage von Liszts Geburt; daß sich also Schicksal langsam, aber erkennbar um dieses Haus spann.

Seit es mitten in schwierigster Kriegszeit in der Einöde des dürftigen Brachlands erbaut worden ist, haben sie es kopfschüttelnd bestaunt. Später sahen sie mit einem Gemisch von Mitleid und Scheu auf den alten tauben Sonderling dort oben. Seit zwölf Jahren aber war es ein Haus des Skandals, an dem man mit lüsterner Neugier und spießbürgerlicher Überheblichkeit vorüberging. Nun ist es illuminiert; an dem offenen Eckfenster links im ersten Stock steht hoch und schlank der berühmte Liszt. Sein schönes Gesicht, umrahmt von lang herabfallendem Haar, ist je nach dem Wechsel der lodernden Fackeln beleuchtet oder im Schatten versunken. Mit Bitterkeit denkt er der Ziele, die er hier gehegt, er gedenkt des verbannten, um sein Werk ringenden Richard Wagners in der Schweiz, er denkt an die Frau in Rom, die sein Schicksal geworden ist. Ab und zu wirft er charmant lächelnd mit gespitzten Fingern Küsse hinab oder winkt mit seiner ausdrucksvollen Hand irgend jemandem zu.

Die Weimaraner starren zu der fremdartigen Erscheinung empor. «Wie auf dem Theater», sagt einer aus der Menge. Rechts und links neben der Hausmauer ragen dunkel einzelne hohe Fichten auf. Dem gefeierten Mann ist hinter seinem zur Schau getragenen Lächeln schwer und traurig zumute.

Immer noch ist sein und der Fürstin Schicksal nicht entschieden. Zwar hat Carolyne in Rom eine Audienz beim Papst erlangt, zwar hat eine Kardinalskonferenz endlich der Scheidung zugestimmt, nun aber verbietet es der Nuntius in Wien dem Bischof von Fulda, in dessen Diözese Weimar liegt, die neue Eheschließung zu vollziehen.

«Retten Sie mich, Königliche Hoheit!» schreibt Liszt an Karl Alexander. «Machen Sie Ihren weltlichen Einfluß bei dem Nuntius in Wien geltend. Retten Sie mich, Königliche Hoheit!» Mich? – Ach, seit Carolyne fort ist, ist für ihn all das, was sie wünschte, nur noch Formalität um ihretwillen! Und war es das nicht im Grunde immer? Die Schriftstellerin Fanny Lewald berichtet, daß der Freund ihr in impulsiver Aufwallung einst geklagt hat: «Der Eid ist eine ernste Sache. Wer kann beschwören, daß er immer derselbe bleiben wird? Ich bin gewiß, daß man mit mir am besten fährt, wenn man mir meine Freiheit läßt!» Liszt fuhr mit ihr bei strömendem Regen in offener Droschke von der Altenburg zum Hotel. Er hatte sich zu Füßen der Freundin auf den Boden gehockt und die Wachstuchplane, die für die Beine der Sitzenden vorgesehen war, über die Schulter gezogen. Fanny Lewald hatte ihren Schirm aufgespannt, und der Regen trommelte auf den Schirm und troff von da auf die Plane, unter der Liszt sich mit langen Beinen zu schützen suchte.

Am 2. Februar 1861 dann sitzt am Schreibtisch im weißen Ecksalon noch einmal Friedrich Hebbel und beugt den schmalen Kopf über einen Bogen Papier. «Weimar, Altenburg», so schreibt er. «Ich traf erst nach elf Uhr in Weimar ein und stieg in einem Gasthof ab, wo ich ein wüstes, kaltes, ofenloses Zimmer erhielt, das zwar keine Kommode oder auch nur einen Nachttisch aufzuzeigen hatte, wohl aber ein Porträt von Goethe, das mich mit einem gewissen Hohn aus einem gegenüberhängenden Spiegel angrinste.»

Hebbel ist zur Uraufführung der ersten beiden Teile seiner «Nibelungen» nach Weimar gekommen, und nach der so kümmerlich im «Adler» verbrachten Nacht siedelt er auf Liszts Einladung hin auf die Altenburg über. Eigentlich hatte er das erinnerungsbeladene Haus meiden wollen. Aber nun ist es wie ein letzter Abschied von der reinen Liebesbeziehung, die ihm das Leben hier noch gewährt hat. Er haust in Prinzeß Maries Zimmer. Alle Briefe, die er in diesen hochgestimmten acht Tagen schreibt, datiert er sorgfältig und bedeutungsvoll: «Altenburg, den ...» – «Ich sehe von meinem Berg, aus wohlgeheiztem Zimmer, in die weite thüringische Landschaft hinein», beginnt ein Bericht. Es ist jenes meeresbodenähnliche Talbecken mit dem geraden Uferrand, auf das Goethe so oft geschaut hat und von dem er im Jahre 1827, Jahrtausende überblickend, zu Eckermann gesprochen hat. An dem Schreibtisch, der nun Hebbels Arbeitstisch ist, hat einst Prinzessin Marie gesessen und bewundernd und ehrfürchtig das Manuskript studiert, das der Intendant des Wiener Burgtheaters, Heinrich Laube, als unaufführbar und unwirksam abgelehnt hatte und das nun mit so großem Erfolg über die Weimarer Bühne geht. Und als Hebbel nachts um drei Uhr mit Liszt von dem Fest im Stadthaus zurückkommt, das der Hof ihm zu Ehren nach der Aufführung veranstaltet hat, da ist sein Herz voller Dankbarkeit und Stolz. «Es war eine Aufmerksamkeit und

Totenstille während der Aufführung, als ob nicht von der Vergangenheit, sondern von der Zukunft die Rede wäre.»

An einem der nächsten Abende liest Hebbel im Schloß vor geladenen Gästen — auch Walther von Goethe ist unter ihnen — den dritten Teil seiner Dichtung vor, «Kriemhilds Rache», und Karl Alexander verpflichtet sich sofort, auch dieses Stück in Weimar zur Aufführung zu bringen. Da Hebbel nur ein einziges Manuskript zur Verfügung hat, sitzt er am 5. Februar von drei Uhr nachmittags bis tief in die Nacht hinein an Magnolettes Schreibtisch und fertigt ein zweites Exemplar der fünf Akte an. «Im Namen dessen, der am Kreuz verblich», schreibt er als letzte Zeile und legt die Feder nieder. Er senkt den Kopf und drückt Daumen und Zeigefinger in die Augenhöhlen, so daß es schmerzt.

Währenddes sitzt auf der anderen Seite des Hauses, im Blauen Zimmer, Liszt. Er trägt sich mit einem schwerwiegenden Entschluß. Er will nach vierzig Jahren zum erstenmal wieder beichten und kommunizieren. Und so versucht er, ohne Selbsttäuschung sein Leben zu beurteilen. Die Kindheit in Raiding steigt vor ihm auf, die Knabenjahre in Paris, die reine Liebe des erwachenden Jünglings zu Caroline St. Cricq, die deren adelsstolzer Vater so demütigend abgebrochen hat. Bei den Klängen der Marseillaise in den stürmischen Julitagen 1830 ist er aus seinem Schmerz erwacht und hat sich auf seinen eigenen Wert besonnen.

Unter dem Einfluß Chopins, der ungehemmt seine seelischen Eindrücke vertonte, und dem Paganinis, der ihm ungeahnte Möglichkeiten virtuoser Fortentwicklung zeigte, hat er versucht, Eigenes zu entwickeln. Es kamen die zehn Jahre seiner illegalen Ehe mit der schönen, klugen, kalten Marie d'Agoult, die ihm seine drei Kinder schenkte, dann die großen Reisen durch die Welt als Virtuose mit Liebe und Rausch und Huldigung ohne Maß, bis ihn der Weg nach Kiew geführt hat, in die alte russische Stadt, wo er Carolyne begegnete, um mit ihr diese zwölf Jahre Altenburg zu durchleben.

«Mein Leben war eine lange Odyssee der Liebe» — eine Irrfahrt des maßlosen Gefühls, des ständigen Überschwangs. Ist das die eigentliche Sünde seines Lebens, dieses Bedürfnis, sich zu berauschen mit Worten, mit Tönen, mit Gefühlen, mit Reisen, ja mit Tabak und Alkohol? Und Liszt weiß nicht, daß er mit dieser Erkenntnis nicht nur sich selbst, sondern im Grunde seine ganze Zeit trifft.

Am 8. Februar, an Carolynes Geburtstag, nimmt er, in Gedanken mit ihr vereint, in der Kapelle in der Marienstraße die heilige Kommunion. «Dieu crucifié est venu à moi.» — Der gekreuzigte Gott ist zu mir gekommen.

Im August 1861 rüstet sich die Altenburg zu ihrem letzten Fest. Vom 4. bis zum 8. soll eine große Tonkünstlerversammlung in Weimar sein und am 7. August der «Allgemeine Deutsche Musikverein» gegründet werden als sichtbarer Zusammenschluß all der Bestrebungen, die von Weimar unter Liszts Führung ausgegangen sind. Und so stehen auch mit Recht Liszts «Faust-Symphonie», sein «A-Dur-Konzert» und «Der entfesselte Prometheus», den er zur Einweihung des Herderdenkmals schrieb, auf dem Programm und ungeachtet des Theaterskandals von 1858 auch das Terzett aus dem zweiten Akt des «Barbiers von Bagdad».

Noch einmal ist die Altenburg bis auf den letzten Raum belegt. Liszt hat alle Getreuen eingeladen: Bülow ist da und Cornelius, Lassen, Bronsarts und Reményi, der Geiger aus Ungarn. Liszts Tochter Blandine mit ihrem Mann, dem Pariser Rechtsanwalt Olivier, ist gekommen und der Vetter Eduard aus Wien mit seiner Frau.

Ein neuer Schüler, Wendelin Weißheimer, schildert das Treiben auf der Altenburg: «Liszt hatte uns samt und sonders bei sich auf der Altenburg einquartiert. Als immer mehr ‹Tonkünstler› einrückten, reichten die Betten schließlich nicht aus. In einem Saal des Seitengebäudes wurde ein ganzes Heulager mit großen Tüchern darüber ausgebreitet, und darauf, halb entkleidet, schlief die lustige Gesellschaft die wenigen Stunden, die der Ruhe gewidmet waren, wenn überhaupt von Schlafen die Rede sein konnte. Liszt ließ es sich nicht nehmen, bei uns in der Mitte zu liegen. Erst gegen Morgen war so viel Ruhe eingekehrt, daß sich die Augen schließen konnten.

Einmal hatte sich Liszt zuerst vom Lager erhoben und jene Pianopizzikatostelle der Bässe im ersten Faustsatze vor sich hin markiert, die auf der letzten Probe öfter wiederholt worden war. Sofort setzten wir die Hände wie Schalltrichter an den Mund und bliesen im Chor die nach dem Pizzikato einfallenden Hörner in F. Das amüsierte Liszt so, daß er sagte: ‹Noch einmal!› Wieder fing er das Oktavenpizzikato an mit seinem ‹Bim, bim, bam, bum, bam, bim› – und wieder fiel unser Hornchor mit einem lang gehaltenen ‹Bäbääh› im Händeschalltrichter ein. Unter solchen Späßen wurde Toilette gemacht und dann an der langen Frühstückstafel im Vorderhause Platz genommen. Diese mußte stets vergrößert werden. Nach dem Frühstück brachen alle zu den diversen Proben auf.»

Hans von Bülow dirigiert die «Faust-Symphonie». Am 3. August hat man über allem Getriebe die Partitur vergessen. Zwar konnte Bülow die ganze Symphonie auswendig, aber «Liszt bat mich doch», so berichtet Weißheimer weiter, «vorsichtshalber die vergessene Partitur herbeizuholen. Ich eilte zur Altenburg und fand sie auf dem Spinett, welches zwischen zwei Fenstern an der Wand lehnte. Es war ehemals im Besitz Mozarts gewesen. Andächtig hatte ich schon öfters die schwarzen Unter- und weißen Obertasten berührt, welche dem Göttlichen einst zum Gebrauch gedient. Auf diesem zugeklappten Mozartklavier – les extrèmes se touchent – lag Liszts ‹Faust-Symphonie›, mit welcher ich mich sofort wieder auf den Weg machte.

Ich war aber noch keine zwanzig Schritt vom Hause weg, als mir eine ganz außerordentliche Überraschung wurde: Wie ich mich den hinunterführenden Treppen im Tannengebüsch näherte, sah ich erst einen Kopf und gleich darauf die ganze Figur eines Herrn zum Vorschein kommen, der die Stufen heraufschritt und fast schon oben angelangt war. Ich sah ihm ins Gesicht und war auf das freudigste überrascht, als ich keinen Geringeren als – Richard Wagner vor mir sah! Er war ganz unvermutet gekommen, um Liszt seinen ersten Besuch in dem ihm endlich wieder offenstehenden Vaterland zu machen, das ihn über elf Jahre von sich gestoßen hatte. Nun war er also wirklich da und frei! Kein dienstbeflissener Späher durfte seine Schritte behelligen und sich seiner Person bemächtigen. Nach der ersten Überraschung begrüßte ich ihn des lebhaftesten. Sofort frug er, ob er Liszt im Hause fände. Ich sagte, im Hause sei niemand, alle weilten in der Probe, ob er nicht Lust habe, mir dorthin zu folgen. Gleich willigte er ein, stieg mit mir die Treppe wieder hinunter und folgte mir durch die Stadt.»

Wagner wieder in Deutschland! Noch einmal weilt er in dem entlegenen Haus auf dem Berg. Ein Ring ist geschlossen. Von hier aus hat er vor zwölf Jahren den Weg in die Verbannung angetreten. Hier hat er um Hilfe gebeten. Und welche Hilfe ist ihm zuteil geworden! Von hier, von der Altenburg aus, sind seine Werke in die Weite gedrungen, während er selbst wie gefangen war.

Wagner wohnt in dem weißen Ecksalon und schaut auf die drei Türme der Stadt, auf den Höhenzug des Ettersbergs drüben am Horizont und über die Wiese, auf der sich sein Festspielhaus hätte erheben können.

Acht glückliche, bedeutungsvolle Tage verleben nun Wagner und Liszt zusammen in der Altenburg, Tage der

Freundschaft, des Überschwangs, der Musik. Noch einmal lebt die Altenburg im alten Glanz auf. Noch einmal stehen die Türen weit offen, Gäste von überallher versammeln sich in ihren Räumen und in ihrem Waldgarten. Auf dem Lindenplatz vor der Efeuterrasse werden Gespräche geführt. Im Saal, im Musikzimmer und im Gartenzimmer, das von Beethovens Totenmaske beherrscht wird, musiziert man von früh bis spät. Noch einmal rauschen die Akkorde machtvoll auf. Die Straße des Lebens führt mitten durch die Altenburg hindurch.

Am 9. August ist alles vorbei. In alle Richtungen fahren die Gäste davon. Nur Vetter Eduard, der Getreue, bleibt, um die Altenburg zuzuschließen. Anfang Juni hat eine zweite Kardinalskonferenz endlich einer neuen Eheschließung der Fürstin zugestimmt, und Liszt reist zur Trauung nach Rom.

Die Wertgegenstände werden im Schloß deponiert, die Türen der Altenburg versiegelt. Wenige Tage zuvor ist das Petschaft vom Juwelier geliefert worden, das unter einem Griff aus Bergkristall die Zeichen von Liszts und Carolynes Namen vereinigt. Auf den zugesperrten Türen der Altenburg wird es zum ersten und einzigen Male benutzt.

Der Schloßdiener Becker zieht als Kastellan ins Hinterhaus ein. Und am 12. August, mittags um zwei Uhr, verläßt Liszt das unwirtlich gewordene Haus, um die letzten Tage wieder im «Erbprinzen» zu wohnen.

«Es ist mir unmöglich», so schreibt er an diesem 12. August nach Rom, «in einem einzigen Brennpunkt die bewegenden Gefühle meiner letzten Stunden in der Altenburg zu sammeln. Jedes Zimmer, jedes Möbelstück bis zu den Stufen der Treppe und dem Rasen des Gartens, alles wurde erleuchtet durch Ihre Liebe, ohne die ich mich wie vernichtet fühlen würde. Wie ich Ihnen schon telegraphiert habe, habe ich dieses Haus, wo Sie zwölf Jahre lang so leidenschaftlich das Gute getan und das Schöne gesucht haben, um zwei Uhr mittags bei strahlendem Sonnenschein verlassen. Als ich morgens durch die Zimmer schritt, konnte ich meine Tränen nicht zurückhalten. Aber nach einer letzten Rast an Ihrem Betpult, wo Sie immer mit mir niederknieten, hatte ich doch ein Gefühl der Befreiung, das mich wieder stärkte. Seit Ihrer Abreise hat mir dieses Haus meist den Eindruck eines Sarkophags gemacht. Indem ich mich von ihm entferne, glaube ich mich Ihnen zu nähern, und ich atme wieder freier.

Unser doppeltes Siegel ist auf allen Türen angebracht worden und das Siegel des Hofmarschallamts auf den vier Haupttüren. Das Blaue Zimmer und Ihr Schlafzimmer sind wie noch einige andere Fenster mit Holzbrettern zugemacht. Ich schicke Ihnen noch eine Zeichnung der Altenburg, die hier beim Verlag Kühn zu haben ist.»

Am 17. August 1861 reist Liszt ab. Der Zug fährt um halb zwei Uhr. Er aber verläßt den «Erbprinzen» schon eine Stunde früher, geht über den Markt, am Schloß vorbei, über die Kegelbrücke, tritt noch einmal durch das Pförtchen und steigt langsam die Stufen durch das Wäldchen hinauf. Die Hitze hängt zwischen den Bäumen, und der Fichtenduft ist fast betäubend. Dann überquert er die Chaussee und betritt durch das Pförtchen den Garten. Er geht den Weg am Gartenzimmer vorbei und sieht zu den nun verschalten Fenstern des Blauen Zimmers hinauf. Über den kühlen Lindenplatz steigt er den Efeuhügel bis zur obersten Terrasse empor und schaut von da auf Haus und Bäume.

Dann sucht er den Schloßdiener Becker im Hof auf, drückt ihm fünf Taler extra in die Hand und legt ihm ans Herz, den alten Black ja keine Not leiden zu lassen. Er streichelt der knicksenden Pauline die Wange und klopft dem wedelnden Hund noch einmal die glatte Flanke.

Langsam geht er zum Bahnhof, ohne sich noch ein einziges Mal umzusehen.

Das Haus steht da und wartet. Alle Wagen fahren wieder daran vorbei, statt anzuhalten, alle Menschen gehen wieder daran vorüber, statt einzukehren.

Im Herbst 1861 hat Karl Alexander den Plan — wie weiland schon Karl August, als Seebach sein Haus auf die Altenburg setzte —, eine Kunstschule in Weimar zu begründen. Stanislaus Graf von Kalckreuth, der Maler großer Salonlandschaftsbilder, ist zum Direktor ausersehen, da Karl von Piloty, der ursprünglich ausgewählt worden war, durch vorteilhaftere Bedingungen in München gehalten wird. Kalckreuth knüpft Verbindungen an mit schon bekannten oder doch zukunftsreichen Künstlern. Es gelingt ihm, Franz von Lenbach zu engagieren und Arnold Böcklin und beinahe auch Anselm Feuerbach. Nun erhebt sich die Frage des Gebäudes. Verschiedene Plätze sind für ein neu zu erbauendes Haus ausersehen. Auf ein Gelände weist der Großherzog immer wieder besonders hin: auf die Altenburg! So steigt Mitte Dezember Graf Kalckreuth auf den Berg, um sich die Örtlichkeit genauer anzusehen. Er findet zwar Platz genug in dem repräsentativen Haus, «aber», so teilt er am 17. Dezember 1861 dem Großherzog mit, «die Altenburg dürfte doch zu entfernt liegen!» Der Plan wird also verworfen.

Nicht ein Festspielhaus, nicht eine Kunsthochschule sind für den Berg bestimmt.

Im Sommer 1864 kommt Liszt zum erstenmal wieder nach Deutschland. Die Trauung hat damals unerwartet doch nicht stattfinden können, weil die Wittgensteins es im letzten Augenblick erneut zu verhindern wußten. Schweren Herzens hat die Fürstin für immer auf die Legalisierung ihrer Beziehung zu Liszt verzichtet.

Drei Jahre sind seitdem vergangen. Liszt hat sich vergraben in Rom. Da ruft Hans von Bülow ihn so dringlich in die Welt zurück, daß die alte Reiselust wieder in ihm erwacht.

Er reist nach Karlsruhe, nach Stuttgart, er sucht München auf, schließlich fährt er auch nach Weimar. Hat er es nicht insgeheim von Anfang an geplant?

In der Nacht zum 5. September kommt er auf dem Weimarer Bahnhof an und geht um Mitternacht sogleich zur verlassenen Altenburg hinauf, als sei er noch dort zu Haus. Zögernd bricht er das Siegel an der Hintertür auf und betritt das Blaue Zimmer. Es ist vollgestellt mit Möbeln. Das Bild der Heiligen Drei Könige lehnt umgekehrt zwischen abgestellten Kisten an der Wand. Da bedeckt Liszt mit beiden Händen sein Gesicht.

Es ist, als sei er nur nach Deutschland gekommen, um diesen Gang zu machen.

Abermals drei Jahre später, im August 1867, muß er die ehemalige Heimstatt erneut aufsuchen.

Graf Beust und der Minister von Watzdorf haben ihm mitgeteilt, daß der Hof dringend Quartier brauche zur Unterbringung höherer Offiziere. Man habe das Haupthaus bereits geräumt. Für ihn stünde nur noch das Blaue Zimmer mit seinem hinteren Aufgang zur Verfügung.

«Es wird nötig sein, daß man das Mobiliar der Altenburg versteigert», schreibt Liszt daraufhin am 15. August an die Fürstin nach Rom. «Natürlich erbitte ich Ihre Erlaubnis. Ich will nie wieder in dieses Haus zurückkehren.»

Und so öffnen sich im September die schmalen Flügeltüren zwischen den nur wenig aus der Mauer hervortretenden Pilastern noch einmal weit, um über die fünf flachen Sandsteinstufen die sich drängenden Menschen ein- und auszulassen. Aber es sind keine Freunde, keine «Ritter des

Geistes», sondern Interessenten für die Möbel und Neugierige. Im Gartensaal mit dem runden Holzbogen, wo Beethovens Totenmaske gehangen hat, im Vestibül und im Saal liegen und stehen Möbel, Bilder, Teppiche, Kunstgegenstände umher, ausgebreitet zum Verkauf. Dreist alles begaffend, gehen die Leute in dem berühmten und berüchtigten Hause umher. Sie betasten die Samtportieren, sie lassen sich probeweise auf den Causeusen und Sesseln nieder, sie mustern die fremdartigen Tischchen und Taburette, die mit Perlmutt oder verschiedenfarbigen Hölzern kunstvoll eingelegt sind, und bewundern prunkvolle Goldrahmen und hohe, seltsam geformte pompöse Vasen. Mit Hochmut oder doch Verwunderung bemerken sie, daß hier eine Perlmutteinlage, dort eine Troddel oder eine Goldleiste fehlt und daß überall der Plüsch schäbig und verschossen ist. Sie schauen sich im Saal um und finden, daß nichts Besonderes an ihm ist, und einige drücken wie unabsichtlich die Klinken an den Türen der beiden Ecksalons nieder. Aber leider sind sie verschlossen.

Die Auktion findet im Gartensaal statt, und wo einmal Anton Rubinstein den großen Orgelflügel dröhnen ließ, da fällt mit hartem, klanglosem Schlag unentwegt der Hammer nieder: «Zum ersten, zum zweiten und zum letzten!»

Der Offizier, für den Graf Beust so dringend Quartier benötigt, ist der neue Kommandeur des in Weimar stationierten 94. Infanterieregiments, Oberst von Bessel. Fortan wohnen alle Kommandeure in dem repräsentativen Haus.

Herr von Bessel bringt seine junge Frau und drei kleine Kinder mit, und so herrscht auf der Altenburg wieder eine Atmosphäre fast wie zu Zeiten Seebachs 1811. Wo dreizehn Jahre lang Samtröcke und phantasievolle Kleidungsstücke getragen wurden, da herrscht nun wieder die Uniform. Und wo virtuose, leidenschaftliche, weltliche und kirchliche Musik erklungen ist, da ertönt ab und zu Blechmusik, wenn die Militärkapelle unter den drei Kastanien vor den flachen Sandsteinstufen zu irgendeinem Fest ein Ständchen bringt.

Nach wie vor erscheint hin und wieder der großherzogliche Hof im Haus wie weiland zu Zeiten Karl Augusts. Nur selten fliegen noch geistvolle Bonmots hin und her; Hacken knallen zusammen, und kurzhaarige Offiziersköpfe beugen sich zackig zum angedeuteten Kuß über die Hände der Damen. Es ist der Adel des Landes. Aber Oberst Bessel ist ein herber, spartanisch gesinnter Mann — ein wenig vergleichbar dem Erbauer des Hauses, dem Stallmeister von Seebach. Und so nennt er die Gäste, die, seiner Stellung als Kommandeur angemessen, bei konventionellen Anlässen im Weißen Saal tanzen, heimlich «internationales Pack», weil sie meistens französisch parlieren. In den Ställen im Hof wiehern wie einst wieder die Reitpferde, und Hunde liegen mit gespitzten Ohren da und warten auf ihren Herrn.

Dann aber, 1870, faßt das Zeitenschicksal nach den Bewohnern der Altenburg: Krieg! Abermals Krieg gegen Frankreich! Oberst von Bessel wird in der Schlacht bei Sedan am 1. September 1870 so schwer verwundet, daß er wenige Tage später im Lazarett in Vrigne-aux-Bois stirbt.

Wie einst 1813 Henriette von Seebach mit ihren drei kleinen Kindern um ihren Gatten gebangt hatte, so bangte nun Frau von Bessel, sie aber zu Recht.

Da der Tag von Liszts Namenspatron, dem heiligen Franziskus von Paula, im Jahre 1872 gerade auf den Osterdienstag fällt, gedenkt die Kirche seiner erst eine Woche später, am 9. April.

Liszt verbringt diesen Tag in Weimar. Er trägt inzwischen den Priesterrock. Seit zwei Jahren ist er ab und zu wieder in der Stadt, von der er sich doch nicht ganz zu trennen vermag. Das großherzogliche Paar, Karl Alexander und seine Gemahlin Sophie, hat ihm eine Wohnung am südlichen Stadtrand eingerichtet, um ihn, wenn auch nur hie und da, in Weimar zu halten. Fürstin Carolyne versucht in zahllosen besorgten, wortreichen Briefen aus Rom, die Einrichtung zu dirigieren. Ist der Musiksalon auch wirklich groß genug? Steht das Bett auch nicht an vielleicht feuchter Außenwand? Kann Liszt ungestört an geeigneter Stelle seinen Mittagsschlaf halten? Wird Fortunat, der treue Diener, auch richtig für alles sorgen? Pauline, das Mädchen, das sie ja selber noch in der Altenburg in Dienst genommen hat, weiß über alles Bescheid! Es soll doch so sein, wie es in der Altenburg war, dann erst wird Liszt, so meint sie, wieder eine ihm gemäße Heimat und Ruhe zur Arbeit finden.

Aber sie irrt sich: Der Liszt, der nun von Zeit zu Zeit in Weimar wohnt, ist nicht mehr der Liszt der Altenburg. Der schwere Midasblock und die mit unlösbarem Knoten zugeschmiedete Kette liegen in einem Tresor im Schloß verwahrt; und jene Zeichnung des Heiligen, die einmal das Blaue Zimmer beherrscht hat, ist in Rom.

Dennoch, als der Tag des Heiligen in diesem Jahr anbricht, steht Liszt in der neuen Wohnung in Weimar früh im Morgendämmer auf und geht in der kühlen Morgenluft, die sich langsam mit Ostersonne erhellt, hinüber zum Schloß. Er überquert die Kegelbrücke, tritt unten in das Wäldchen ein und nimmt den Hut vom Kopf. Sein Haar ist weiß und hängt strähnig auf den hochgeschlossenen schwarzen Priesterrock. Er steigt langsam und nur mühsam atmend aufwärts. Oben tritt er aus dem Pförtchen auf die Chaussee hinaus und steht still vor dem Haus. Das rötliche Sonnenlicht der Frühe liegt auf den Spitzen der Fichten. Das Haus schläft noch. Das ist gut so. Nichts rührt sich außer den Vögeln, die im ersten Licht jubilieren und zwitschern.

Langsam geht der alte Mann außen an der Kornelkirschenhecke entlang, um das Grundstück herum, zur Tiefurter Allee hinauf und an der nördlichen Seite wieder hinab. Hier oben steht jetzt auch ein Haus. Schade, die Einsamkeit des Berges ist gestört. Aber ringsum blühen die Kornelkirschen leuchtendgelb über dem knorrigen Geäst.

Liszt bleibt versunken stehen; dann macht er den Weg noch ein zweites Mal. Und noch ein drittes Mal.

«J'ai fait mon pélérinage à l'Altenburg», so schreibt er der Fürstin. — Ich habe meine Wallfahrt zur Altenburg gemacht.

Das ist seine letzte Begegnung mit der Altenburg. Wenn er in Zukunft bei seinem Aufenthalt in Weimar, von einem Schwarm verehrungsvoller und exaltierter Jugend umgeben, zu einem der berühmten tollen Feste nach Tiefurt oder nach Jena fährt, so läßt ihm seine fröhliche Gesellschaft keine Zeit, auch nur einen Blick auf das alte Haus zu werfen. Vielleicht ist er dankbar dafür.

Als Liszt aber am 31. Juli 1886 von dieser Erde scheidet, hat Karl Alexander die Idee, den Leichnam nach Weimar zu holen und ihn in der Altenburg, der bedeutsamen Stätte seines Lebens, beizusetzen. Die Altenburg soll Liszts Mausoleum werden.

Cosima aber hat für den toten Vater ehrgeizigere Absichten. Wenn die letzte Ruhestatt des Vaters in Weimar sein soll, so muß es in der Fürstengruft neben Schiller und Goethe sein. Und da man sich hierüber nicht einigen kann und den letzten Willen des Toten erfährt, man möge ihn in einer Franziskanerkutte dort bestatten, wo er gestorben sei, so ist die Altenburg das Haus des lebendigen Liszt geblieben und nicht sein Sarkophag geworden.

Eine einfache graue Steintafel wird zu seinem Gedenken über der Haustür angebracht. Sie ist wie die Haustür ein wenig klein geraten! Darauf steht mit goldener Schrift: «Hier wohnte Franz Liszt 1848–1861.» Die rechte Wand des Vestibüls schmückt hinfort das Marmorrelief, das Ernst Rietschel im Jahre 1854 von dem Profil des edlen Kopfs gemacht hat, als Liszt daranging, die «Graner Messe» zu komponieren.

Allerlei Veränderungen geschehen allmählich dem Berg und dem Haus. Der Verbindungsgang zwischen Vorder- und Hinterhaus, den einst Helene von Rott zu ihrem tauben Vater ging und später Liszt von der einen Seite, die Fürstin von der anderen durch die fast unsichtbare Tapetentür betrat, diese schmale Brücke, die das Hinterhaus deutlich vom Vorderhaus trennte und Durchgang in den Hof wie in den Garten gewesen war, wird nach oben und unten zugebaut. Die heimliche Kapelle verschwindet dabei. Verglaste Balkons vor dem Gartenzimmer mit dem Holzbogen und vor dem ehemaligen Speisezimmer verändern das Bild des Hauses auf der Gartenseite gänzlich. Die dritte Bergterrasse wird von dem Besitz abgetrennt und bebaut. Das einsame Haus bekommt weitere Nachbarn.

Am 2. Oktober 1895 wird ganz in der Nähe auf dem Brachland der Großmutter ein Altersheim für Schauspieler eingeweiht. Dies Haus trägt den Namen «Marie-Seebach-Stift», eine zierliche Büste der großen Schauspielerin steht davor. «Ich will mir ein Haus neben der Altenburg bauen», hat Marie Seebach 1857 gesagt.

Noch immer ist die Altenburg das beherrschende Gebäude auf dem Berg über der Stadt. Im Jahre 1895 aber erhält das alte Haus einen Nachbarn — jenen Nachbarn, der die Krönung des Berges sein wird.

Schon seit Monaten gehen mit Lärm und Staub unterhalb des Hauses, gegenüber dem Plateau, wo einst die Lärmstücke standen, Bauarbeiten vor sich und stören jegliche

Ruhe. Eine zehn Meter hohe Stützmauer ist bereits unmittelbar über dem Flußbett errichtet. Gewaltige Fundamente werden gelegt.

Das Haus, das Maria Pawlownas Schwiegertochter, die Großherzogin Sophie, auf dem Steilhang der Altenburg unmittelbar über der Ilm errichten läßt, ist kein gewöhnliches Haus, es wird allen gehören: Es ist das Goethe-Archiv.

Als am 15. April 1885 Walther von Goethe von dieser für ihn glücklosen Erde geschieden ist, da erweist es sich, daß der letzte Goethe-Enkel, im Leben nur unter seinem großen Namen leidend, angesichts des Todes wahrhaftig goethischer Tat fähig gewesen war: Er hatte den gesamten handschriftlichen Nachlaß seines Großvaters der Großherzogin Sophie als Vertreterin der Öffentlichkeit vermacht und damit das kostbare Vermächtnis in die Hände einer Frau gelegt, die reich und energisch genug ist, für seine Bewahrung Sorge zu tragen.

Durch die Großzügigkeit des Enkels wird Goethe von neuem der Welt geschenkt. Denn in diesen hinterlassenen Papieren offenbart sich der Menschheit nicht nur Goethes Werk, sondern noch viel mehr: die Entwicklung seiner großen Persönlichkeit – mit allen Widersprüchen, mit allen Krisen, aber auch mit aller unbeirrbaren Stetigkeit und allem tapferen Voranschreiten.

Jenes Wort, das er einmal an ebender Stelle, wo sich nun sein Archiv erhebt, gesprochen hatte, dieses positive, tiefsichtige, einfache Bekenntnis zum Wandel aller irdischen Erscheinungen: «Untergehend sogar ist's immer dieselbige Sonne», wird nun an jedem seiner Schriftstücke zur Bestätigung und fruchtbaren Erkenntnis.

Goethe ist aller privaten Sphäre entrückt und sichtbar hineingehoben in das Allgemeine. Seine Sendung kann sich nun erst ganz erfüllen.

Goethes Vermächtnis, das Weimar gehört, das der Welt gehört, ruht nun auf dem Berg der Altenburg. Und es ist ein wunderlich geknüpftes Netz des Lebens, daß Goethe hier auf dem gleichen Boden einst gestanden hat, den «Tasso» im Herzen, den «Divan» im Sinn, die Gestirne vor Augen, und daß Liszt von hier aus seine Stimme erhoben hat für die Verlebendigung des goethischen Erbes und eine neue Geltung Weimars.

Am 21. Juni 1896 wird das Goethe-Archiv feierlich eingeweiht. Seebachs Enkel, Amélies Sohn, Herr von Groß, ist als Minister des Landes zugegen.

Bald darauf folgen Schillers Enkel dem großmütigen Beispiel Wolfgang und Walther von Goethes und übergeben auch Schillers Hinterlassenschaft dem Archiv. So wird aus dem Goethe-Archiv ein Goethe-und-Schiller-Archiv, und viele andere Dichter und Schriftsteller rechnen es sich hinfort zur höchsten Ehre an, auch ihre Manuskripte dort bewahrt zu wissen. Schließlich gelangt auch ein Teil der Hinterlassenschaft Liszts dorthin.

Und so finden sich in dem neuen Haus auf dem schicksalsreichen Hügel nun alle jene Dokumente zusammen, die so eng mit der Altenburg verbunden sind. Da liegt in dünnem braunem Papierumschlag der sachsen-weimarische Kalender von 1780, dem Goethe sechs lose Schreibpapierseiten beiheftete, um darauf eng gedrängt und eilig die Tagebucheintragungen für das Jahr 1781 zu machen, die er im Gedränge des Alltags fast ein halbes Jahr lang unterlassen hatte. Da steht in seinen kräftigen schwungvollen Zügen: «Schöne Nacht. Auf der Altenburg.» Da ist das blaue Folioblatt mit den drei gedankenschweren Strophen, die sich im November 1814 nach dem Besuch auf der Altenburg in Goethe zu formen begannen: «Daß du nicht enden kannst, das macht dich groß.» Es liegt dort das Blatt «Weite Welt und breites Leben», das im Jahr von Henriette Seebachs Tod entstand und dann über Eckermann und Karl Alexander in Liszts Hände gelangt war. Und daneben das Notenblatt mit dem gewaltig hingesetzten Motiv Beethovens: «Schweigen ist lauteres Gold.»

Dazu nun, gebündelt, die vielen leidenschaftlichen Briefe, die die Fürstin und Liszt einst drüben in dem alten Seebachschen Haus austauschten, wenn der eine oder andere auf Reisen war. Und selbst das Manuskript von Hebbels «Nibelungen» liegt jetzt in den Schränken des Archivs, jenes Manuskript, das an einem langen Nachmittag in Magnolettes weißem Ecksalon für die Weimarer Uraufführung niedergeschrieben worden ist.

Der Hügel der Altenburg hat seine Krönung erfahren — nicht durch Karl Augusts Fichtenwald, nicht durch Wagners Festspielhaus, nicht durch eine Kunsthochschule, nicht durch Liszts Mausoleum, sondern durch eine lebendige Schatzkammer des Geistes: durch das Goethe-und-Schiller-Archiv.

Noch immer steigen aus allen Gegenden Deutschlands, Europas, ja der ganzen Welt Menschen die Anhöhe der Altenburg hinauf. Aber sie suchen nicht mehr das alte Haus mit den fünf Steinstufen, sondern das mächtige graue Gebäude darunter, dessen Mauern das kostbarste Vermächtnis deutscher Kultur in sich bergen. Es ist kein Museum, es ist eine Stätte unablässiger Bemühung, das große Erbe der Vergangenheit für Gegenwart und Zukunft fruchtbar zu machen. Hier wird das Alte mit neuen Einsichten betrachtet, hier werden neue Erkenntnisse für neues Leben gewonnen. Und so ist die Altenburg noch immer Zeugnis für das Wort, das am Anfang stand: «Und alles ist Frucht, und alles ist Samen.»

Verzeichnis der Abbildungen

Für den Schutzumschlag wurde das Aquarell «Das Haus auf der Altenburg» von Franz Hoffmann, 1859, verwendet.

Die Bildvorlagen stellten freundlicherweise zur Verfügung: Nationale Forschungs- und Gedenkstätten der klassischen deutschen Literatur in Weimar (1, 4–13, 15, 17, 23–25, 27, 29, 30); Fotoatelier Louis Held Weimar (18, 19, 22, 26, 31, Schutzumschlag); Verlagsarchiv (14, 20, 21, 28 – Fotoarbeiten von Dietz Verlag/Ewald), (2, 3, 16 – Fotoarbeiten von DEWAG FOTO Berlin)

Diese Ausgabe stellt eine von der Autorin überarbeitete und erweiterte
Fassung des 1955 im Gustav Kiepenheuer Verlag Weimar
erschienenen Buches dar